COLLECTION
ARCADES

JORGE LUIS BORGES

NEUF ESSAIS SUR DANTE

Traduit de l'espagnol
par Françoise Rosset
Préface
d'Hector Bianciotti

GALLIMARD

Titre original :

NUEVE ENSAYOS DANTESCOS

SOMMAIRE

Borges et la dimension du cœur

Au moment où, cédant à une témérité qui me porte au-delà des plus raisonnables scrupules, j'entreprends cette préface, je ressens le besoin, pour étayer mon propos, de rappeler le reproche dont Borges fut toujours l'objet, ici et là : l'expérience de la vie lui aurait manqué, il ne connaissait pas les passions qu'elle suscite, il était un pur intellectuel qui se tient en marge et comme au-dessus de cet ensemble d'incommodités et de désastres auquel certains voudraient réduire la réalité.

Ce blâme, exprimé pour regretter que la dimension du cœur ait ainsi fait défaut à son œuvre, ne laissa pas de resurgir le 17 juin 1986 dans la presse internationale sous la plume de certains nécrologues, peu nombreux par bonheur — des nostalgiques sans doute de la théorie depuis longtemps caduque de l'engagement. Borges était mort le samedi 14 — à 7 h 47 —, et je me souviens de m'être étonné, vers la fin de la nuit, alors que le monde perdait l'un des justes qui le sauvent, que la lumière de l'aube

*montante dans ces ruelles du vieux Genève fût
glauque.*

*Ce regret que la vie eût manqué à sa vie et à ses
écrits, on ne saurait lui reconnaître un semblant de
justification qu'en supposant l'ignorance de celle-là
et la méconnaissance de celle-ci.*

*Je pense à quelques aspects de la vie de Borges. Je
pense à l'homme né en 1899, à Buenos Aires, à
l'enfant dont l'école primaire fut la bibliothèque de
son père – les vastes encyclopédies,* Les Mille et Une
Nuits, *la Bible anglaise... – et qui fit connaissance,
en même temps, avec la lecture et la myopie. Sa grand-
mère était devenue aveugle; son père était en train
de le devenir, qui avait voulu être écrivain – et il fut
dès lors tacitement convenu que son fils accomplirait
la destinée littéraire que les circonstances lui avaient
refusée. Aussi, Jorge Luis commença-t-il à écrire à
l'âge de six ou sept ans. Avant qu'il eût trente ans,
il avait subi sept interventions chirurgicales aux yeux.*

*Vers 1933, il collaborait à un quotidien populaire
où il publiait ces esquisses de contes, inspirées de
personnages hauts en couleur et ayant bel et bien
vécu, qui seraient réunies sous le titre d'*Histoire de
l'infamie; *plus tard, entre 1937 et 1939, il allait
tenir la page consacrée à la littérature étrangère dans
un magazine féminin à gros tirage. Étant sans for-
tune, il avait besoin de gagner sa vie, mais ce n'est*

que vers la quarantaine qu'il obtint sa première situation régulière à plein temps, dans une bibliothèque de banlieue où il devait rester une bonne dizaine d'années. Il s'y rendait, du centre de Buenos Aires où il habitait, dans des lents tramways plaintifs, et, mettant à profit les deux heures qu'exigeait le voyage, il se lançait dans la lecture d'ouvrages volumineux ou nécessitant une attention particulière. C'est ainsi que, sans connaître l'italien, et adoptant la même méthode qui, du temps de son séjour d'adolescent à Genève, lui avait permis d'apprendre l'allemand, il entreprit la lecture de Dante, aidé par la traduction anglaise – et en prose – de John Aitken Carlyle. J'y reviendrai.

Un jour, après l'accession à la présidence de Juan Domingo Perón, Borges fut renvoyé de la bibliothèque pour être « promu » au poste d'inspecteur de la volaille et des lapins sur les marchés de la capitale. Extrêmement timide, devenant vite bègue par surcroît – mais encouragé par ses amis et par une vieille dame anglaise qui avait lu dans des feuilles de thé son avenir de conférencier –, il accepta de parcourir du nord au sud l'Argentine et l'Uruguay, pour parler, devant des auditoires gravement perplexes, de ce qui l'intéressait : les mystiques persans, le bouddhisme, Martin Buber, la Kabbale, les anciennes littératures germaniques, Swedenborg, Blake, la poésie du gaucho, T.E. Lawrence, l'expressionnisme, Cervantes...

Entre-temps, la cécité avait petit à petit progressé

11

et, pour ce qui est de la lecture et de l'écriture, vers le milieu des années 1950, il avait définitivement perdu la vue. Ainsi aura-t-il vécu et travaillé aveugle pendant plus de trente ans. Comme Milton, comme Joyce, comme cet individu hypothétique que nous appelons Homère, il a composé une grande partie de son œuvre dans l'ombre, polissant ses phrases tout au long de la journée ou des insomnies, pour les dicter, à sa mère d'abord, ensuite à des amis ou à des visiteurs occasionnels. Il avait commencé par changer ses habitudes techniques, de sorte que, délaissant pendant quelques années la prose, il s'exerça à la métrique classique des vers, envers laquelle la mémoire est plus hospitalière. Vers les années 1960, il s'aventura de nouveau dans des proses très brèves, avant de revenir pour de bon à la nouvelle.

Borges a dit souvent qu'il avait su depuis toujours que son destin serait la littérature; par pudeur, par horreur du pathétique, il n'avoua jamais qu'il avait deviné dès le début qu'il serait un écrivain aveugle. Mais nous savons qu'il le savait. Et ceci, cette énormité — cette vie dont l'avenir n'avait pu lui échapper un seul instant — n'aura pas été suffisamment la vie *pour empêcher que certains ne lui en dénient l'expérience...*

Faudrait-il alors évoquer d'autres faits, des faits secrets auxquels il n'a jamais fait allusion, sauf, assez indirectement, dans son œuvre? En un mot, il faudrait parler de ses amours.

Son ami et complice littéraire, Adolfo Bioy Casares, disait récemment dans les colonnes du journal italien Repubblica, *qu'il avait toujours vu Borges amoureux – désespérément amoureux.*

Que l'amour qui l'enflammait pour des femmes successives ne fût jamais payé de retour – faisant mentir l'assertion de Dante : « Amor, ch'ā nullo amato amar perdona » –; que l'amour qu'il a tant de fois ressenti se soit consumé en pure perte – pour des raisons qui pourraient être l'objet d'enquêtes moins littéraires que policières –; que l'amour partagé ait manqué à sa vie, ne serait-ce pas, aussi, la vie? Les bribes de confessions que Borges a laissées dans des recoins de son œuvre sont, certes, allusives – sans doute nourrissait-il l'espoir qu'on ne les lui attribue pas –, mais elles n'en sont pas moins des aveux douloureux. Ainsi, lorsqu'il intitule Le Regret d'Héraclite *deux lignes qu'il attribue à un certain Gaspar Camerarius : « Moi, qui fus tant d'hommes, je n'ai jamais été / Celui dans l'étreinte de qui défaillait Mathilde Urbach », l'artifice des patronymes ne rend que plus transparente l'identité de l'homme déchiré par le regret. Et, plus clairement, dans ce passage d'une élégie (*Œuvre poétique, p. 198, Gallimard, 1970) : « ...avoir vieilli dans tant de miroirs, / avoir scruté en vain le regard de marbre des statues, / avoir examiné des lithographies, des encyclopédies, des atlas, / avoir vu les choses que voient les hommes, / la mort, l'aurore malaisée, la plaine / et les délicates*

13

étoiles, / et n'avoir rien ou presque rien vu / que le visage d'une jeune fille de Buenos Aires, / un visage qui ne veut pas de mon souvenir »...

Si je me suis aventuré dans certaines voies secrètes de la vie de Borges – à cause de ceux qui lui contestent l'expérience de la vie, de ceux qui n'ont dû jamais imaginer l'autre face de la lune –; si je hausse au niveau du vécu ce qu'il n'aurait pas vécu, c'est parce que la lecture que Borges a faite, de façon répétée, à travers des décennies, de la Commedia, *éclaire en particulier l'amour malheureux de Dante pour Béatrice. Car Béatrice, Béatrice Portinari, qui s'habillait en rouge, qui épousa Bardi, qui, un jour, s'était moquée de lui et qui, à la fin, dans le Paradis qu'il a rêvé pour elle, le traite avec dureté devant les anges, en se détournant à jamais de lui, Béatrice « exista infiniment pour Dante », tandis que « celui-ci, très peu, sinon pas du tout pour Béatrice ». Au point que Borges soupçonne Dante d'avoir édifié la triple architecture de son poème pour y introduire quelques rencontres avec la bien-aimée irrécupérable.*

Je pense que dans les subtiles bibliothèques de commentaires que la Commedia *a engendrées, on ne saurait trouver d'hypothèse plus belle, qui ajoute autant d'émotion au Poème. Mais revenons aux faits, à la rencontre de Borges avec Dante. Revenons-en au lent tramway cahotant à bord duquel, chaque matin, l'Argentin prend graduellement connaissance de la* Commedia.

Borges avait acheté l'œuvre en trois petits volumes qui tenaient dans sa poche : « Sur une page, il y avait le texte italien et sur l'autre le texte anglais en version littérale. [...] Je crois que Cervantes, quelque part dans le Quichotte, *a dit qu'avec deux sous de langue toscane on peut comprendre l'Arioste. Pour moi, ces deux sous de langue toscane ont été la ressemblance fraternelle entre l'italien et l'espagnol. J'avais déjà remarqué que les vers, surtout les grands vers de Dante, sont beaucoup plus que ce qu'ils signifient. Le vers c'est, entre bien d'autres choses, un ton, une cadence très souvent intraduisible. Quand je suis arrivé au sommet du* Paradis [...], *j'ai senti que je pouvais lire directement le texte italien. [...] J'ai lu ensuite d'autres éditions [...], en prenant plaisir à leurs commentaires. [...] J'ai constaté que dans les éditions les plus anciennes, prédomine le commentaire théologique, dans celles du XIXᵉ siècle, le commentaire historique, et, actuellement, le commentaire esthétique qui nous fait remarquer l'accentuation de chaque vers, l'une des plus grandes vertus de Dante. »*
*Au fil de cette conférence prononcée à Buenos Aires, en 1977, on sent que Borges n'a qu'une hâte : arriver au Cinquième Chant de l'*Enfer, *au moment du récit de Francesca da Rimini, pour retrouver la double*

15

émotion que ce passage lui procure : l'une, qu'un livre, que la lecture d'une histoire d'amour ait révélé à Francesca et à Paolo leur amour réciproque; l'autre, qu'ils soient atrocement heureux d'être ensemble, quoique en enfer : « Il y a quelque chose que Dante ne dit pas mais qui se sent tout au long de ce passage. Avec une infinie pitié, Dante nous raconte le destin des deux amants, mais nous sentons qu'il leur envie leur destin. Paolo et Francesca sont en enfer et, lui, il sera sauvé, mais eux se sont aimés alors que lui n'a pas obtenu l'amour de Béatrice. [...] Ces deux réprouvés sont ensemble, ils ne peuvent pas se parler, ils tournent dans le noir tourbillon sans aucune espérance, pas même celle de voir cesser leurs souffrances, mais ils sont ensemble. [...] Ils sont ensemble pour l'éternité, ils partagent l'Enfer et cela a dû sembler à Dante être une sorte de Paradis [1]. »

Borges a dit et répété que toute lecture enrichit un livre; que les livres, avec le temps et les générations de lecteurs successives, peuvent même changer de genre; qu'il n'y a pas de description d'une actualité quelconque qui ne coure le risque de devenir une élégie... Il n'a pas seulement lu et relu la Commedia, *mais de multiples commentaires. Lecteur hédoniste, Borges nous propose, comme d'habitude, mais plus*

---

1. *Conférences,* « Folio/Essais », Gallimard.

particulièrement dans ces essais qui sont une sorte de palimpseste de lectures, une méthode de révision inlassable des données que, par résignation ou par hâte, nous avions acceptées une fois pour toutes. De sorte que, s'il s'attarde dans la comparaison des diverses interprétations de tel ou tel autre passage, il introduit, comme un apport essentiel, l'idée que les cent chants du Poème ont été laborieusement rédigés afin que Béatrice condescende à intervenir.

« À trois ou quatre cents mètres de la Pyramide », dit-il dans un de ses récits de voyage, *« je me suis baissé, j'ai pris une poignée de sable, je l'ai laissée couler silencieusement un peu plus loin, et j'ai dit à voix basse : " Je suis en train de modifier le Sahara. " »*

C'est ainsi qu'il a modifié pour nous chaque livre qu'il a lu, et, parmi ces livres, l'œuvre de Dante — et celle-ci, il l'a modifiée parce que son propre regret de l'amour lui permettait de s'identifier au Poète.

Certes, ni Béatrice ni l'amour ne sont l'unique objet de ces neuf essais, si l'une et l'autre éclairent, à travers Borges, l'œuvre dantesque d'une lumière nouvelle. On y trouve notamment ses remarques à propos du récit d'Ulysse, où le héros au long cours dit que, après s'être séparé de Circé, rien, pas même la nostalgie de Pénélope, n'avait pu étouffer dans son cœur le désir qu'il avait de connaître le monde au-delà des colonnes d'Hercule, au-delà des limites marquées par un dieu à l'ambition et à l'audace des hommes. Ulysse transgresse dans la Commedia *non pas la loi des*

17

grecs, mais la loi de ce monde rendu aveuglément homogène par la foi, où étaient enfermés les hommes du Moyen Âge. Et Borges ressent cette transgression comme une transgression commise par Dante lui-même à l'égard de la théologie catholique. On ne cesse d'être surpris qu'à l'époque de Dante, pas tellement.éloignée de la nôtre en fin de compte, la mer fût encore une métaphore suffisante de la connaissance, de l'inconnu, du savoir interdit.

Je tiens à signaler que ces essais ont été rédigés il y a longtemps. Je ne saurais pas donner des dates précises, mais je crois qu'ils sont antérieurs aux années 1950. Le « corpus », Borges l'a constitué, revu en détail et préfacé, pour sa publication en volume, en 1982.

Je pense à Borges. Je pense au lecteur de Dante. Et je me dis qu'il aurait donné une autre vision de la Commedia s'il s'y était penché pour la première fois à la fin de sa vie. Alors, il n'aurait pas dit, je crois, qu'« être amoureux c'est se créer une religion dont le dieu est faillible ».

Peu avant sa mort, il a épousé María Kodama. Il l'avait connue quand elle avait douze ans. Ils avaient appris ensemble l'anglo-saxon, l'islandais, ils avaient parcouru ensemble la planète, ils avaient traduit et publié l'Edda de Snorri Sturluson... Il l'aimait. Elle l'aimait.

Lorsque, avec Jean-Pierre Bernès, il revoyait, encore quelques jours avant sa mort, ses textes pour l'édition de son œuvre dans La Pléiade, il s'insurgeait soudain contre certaines assertions de jadis impliquant quelque malheur inéluctable... Désormais, il savait que le bonheur – qu'il avait conçu toujours comme un devoir auquel il s'était dérobé sa vie durant – était possible, et qu'il lui était accordé de le vivre. Dans son dernier recueil de poèmes, **Los Conjurados,** *il dit qu'il ne se passe pas de jour sans que nous soyons, un instant, au Paradis.*

La nuit de sa mort – cette nuit parmi les nuits –, comme vers l'aube il me sembla que sa respiration, très régulière, depuis plus de dix heures, allait en s'atténuant, je me proposais d'appeler María qui avait accepté de prendre un moment de repos, quand tel l'ange qui précédé par son ombre s'avance dans la chambre de sainte Ursule dans le tableau de Carpaccio, elle était là, sur le seuil. Elle s'approcha, s'assit, lui prit la main. Il l'avait appelée. Pour lui donner la seule chose qui était encore à lui : sa mort.

...questi, che mai da me non fia diviso...

Je compris alors que deux êtres qui s'aimaient se disaient des choses, mais rien qui ressemblât à un adieu.

Hector Bianciotti

Janvier 87

Prologue

Dans une bibliothèque orientale, imaginons une estampe vieille de plusieurs siècles. Elle est peut-être arabe et l'on nous dit qu'on y retrouve tous les contes des *Mille et Une Nuits*; elle est peut-être chinoise et nous savons qu'elle illustre un roman comportant des centaines ou des milliers de personnages. Dans le tumulte de ses formes, l'une d'elles – un arbre qui ressemble à un cône renversé, des mosquées rouges sur un mur d'airain – attire notre attention et de cette forme-là nous passons à d'autres. Le jour décline, la lumière s'épuise et à mesure que nous pénétrons dans la gravure, nous comprenons qu'il n'y a rien sur la terre qui n'y figure. Ce qui a été, ce qui est et ce qui sera, l'histoire du passé et celle du futur, les choses que j'ai eues et celles que j'aurai, tout cela nous attend quelque part dans ce labyrinthe tranquille... J'ai imaginé une œuvre magique, une estampe qui serait aussi un microcosme; le poème de Dante est cette estampe de portée universelle. Je crois cependant que si nous pouvions lire ce poème avec innocence (mais ce bonheur nous est interdit), son caractère universel ne serait pas ce qui nous frapperait d'abord et encore moins son aspect sublime ou grandiose. Nous remarquerions avant tout, je crois, d'autres aspects moins saisissants et bien plus délectables ; en premier lieu, sans doute, ce que soulignent les spécialistes anglais de Dante : l'invention variée et heureuse de détails précis. Il ne suffit pas à Dante de dire que lorsqu'un homme et un serpent s'enlacent, l'homme se transforme en serpent et le serpent en homme ; il compare cette mutuelle métamorphose au feu qui dévore une feuille de papier, précédé par une frange rougeoyante où le blanc meurt sans qu'apparaisse encore le noir (*Enfer*, XXV, 64). Il ne lui suffit pas de dire que, dans l'obscurité du septième cercle, les damnés ferment à demi les yeux pour l'observer ; il les compare à des hommes qui se regardent dans un clair de lune incertain ou à un vieux tailleur qui cherche à enfiler son aiguille (*Enfer*, XV, 19). Il ne lui suffit pas de dire qu'au fond de l'univers l'eau s'est gelée ; il ajoute qu'elle semble être du verre et non plus de l'eau (*Enfer*, XXXII, 24)... C'est à des comparaisons de ce genre que pensait Macaulay quand il déclara, contre l'opinion de Cary, que le « vague sublime » et les « magnifiques généralités » de Milton l'émouvaient moins que les détails qu'il trouvait chez Dante. Ruskin, plus tard (*Modern Painters*, IV, XIV), condamna les brumes de Milton et approuva la stricte topographie qui servit à Dante pour dresser son plan de l'Enfer. Tout le monde sait que les poètes procèdent par hyperboles : pour Pétrarque, ou pour Góngora, tout cheveu de femme est d'or et toute eau, cristal ; cet alphabet de symboles, mécanique et grossier, affaiblit la rigueur des mots et semble se fonder sur l'indifférence d'une observation imparfaite. Dante s'interdit cette erreur ; il n'y a pas un mot dans son poème qui ne soit justifié.

La précision que je viens d'indiquer n'est pas un artifice rhétorique ; c'est une affirmation de la probité, de la plénitude avec laquelle chaque élément du poème a été imaginé. On peut en dire autant des détails de caractère psychologique, si admirables et en même temps si simples. Le poème est tissé de tels détails. J'en citerai quelques-uns. Les âmes destinées à l'Enfer pleurent et blasphèment ; en entrant dans la barque de Charon, leur crainte se change en désir et en intolérable angoisse (*Enfer*, III, 124). Dante entend des lèvres de Virgile que celui-ci n'entrera jamais au Paradis ; aussitôt il l'appelle maître et seigneur, soit pour prouver que cette confession ne diminue en rien l'affection qu'il lui porte, soit parce que, le sachant condamné, il ne l'en aime que davantage (*Enfer*, IV, 39). Dans le noir ouragan du deuxième cercle, Dante veut connaître l'origine de l'amour de Paolo et de Francesca; cette dernière raconte que tous deux s'aimaient sans le savoir, « *soli eravamo e senza alcun sospetto* [1] » et qu'ils s'aperçurent de leur amour au hasard d'une lecture. Virgile attaque les orgueilleux qui prétendirent par leur simple raison comprendre la divinité infinie; soudain il baisse la tête et se tait car il est un de ces malheureux (*Purgatoire*, III, 34). Sur le flanc escarpé du Purgatoire, l'ombre de Sordello le Mantouan demande à l'ombre de Virgile quel est son pays natal; Virgile dit que c'est Mantoue; Sordello alors l'interrompt et l'embrasse (*Purgatoire*, VI, 58). De nos jours, le roman décrit avec une prolixité ostentatoire les processus mentaux; Dante fait en sorte qu'on les devine à un élan ou à un geste.

Paul Claudel a fait observer que nous ne devons vraisemblablement pas nous attendre à voir après notre agonie le spectacle des neuf cercles infernaux, des terrasses du Purgatoire ou des ciels concentriques de Dante. Ce dernier aurait sans doute été d'accord avec lui; il imagine sa topographie de la mort comme un arti-

1. « nous étions seuls et sans aucun soupçon » (*Enfer*, V, 129).

fice exigé par la scolastique et par la forme de son poème.

L'astronomie ptolémaïque et la théologie chrétienne décrivent l'univers de Dante. La Terre est une sphère immobile; au centre de l'hémisphère boréal (celui qui est permis aux hommes) il y a la montagne de Sion; à quatre-vingt-dix degrés de cette montagne, vers l'orient, un fleuve vient mourir : c'est le Gange; à quatre-vingt-dix degrés de cette montagne, au ponant, un fleuve naît : c'est l'Èbre. L'hémisphère austral est fait non de terre mais d'eau et il a été interdit aux hommes; il y a, au centre, une montagne, aux antipodes de la montagne de Sion, la montagne du Purgatoire. Les deux fleuves et les deux montagnes équidistantes forment une croix sur la sphère. Sous la montagne de Sion, mais beaucoup plus large qu'elle, s'ouvre jusqu'au centre de la Terre un cône renversé, l'Enfer, divisé en cercles décroissants qui forment comme les gradins d'un amphithéâtre. Ces cercles sont au nombre de neuf et leur topographie n'est que ruines atroces; les cinq premiers forment le Haut-Enfer, les quatre derniers le Bas-Enfer, qui est une cité avec des mosquées rouges, entourée de murailles de fer. À l'intérieur il y a des sépultures, des puits, des abîmes, des marécages et des sables mouvants; au sommet du cône se tient Lucifer, « le ver rongeur dont la Terre est troée ». Une brèche ouverte dans le rocher par les eaux du Léthé fait communiquer le fond de l'Enfer avec la base du Purgatoire. Cette montagne est une île et elle a une porte ; sur son versant s'échelonnent des terrasses qui représentent les péchés mortels ; le jardin de l'Éden fleurit à son sommet. Autour de la Terre tournent neuf sphères concentriques ; les sept premières sont les ciels planétaires (les ciels de la Lune, de Mercure, de Vénus, du Soleil, de Mars, de Jupiter, de Saturne) ; la huitième, le ciel des étoiles fixes ; la neuvième, le ciel cristallin, appelé aussi Premier Mobile. Celui-ci est entouré par l'empyrée, où s'épanouit, incommensurable, la Rose des Justes autour d'un point qui est Dieu. Comme c'était à prévoir, les cercles de la Rose sont au nombre de neuf... Telle est, à grands traits, la configuration du monde dantesque, soumis, comme le lecteur l'aura observé, aux prestiges du 1, du 3 et du cercle. Le Démiurge, ou Artifex, du *Timée*, livre mentionné par Dante (*Banquet*, III, 5 ; *Paradis*, IV, 49), estima que le mouvement le plus parfait était la rotation et le volume le plus parfait, la sphère ; ce dogme, que le Démiurge de Platon partagea avec Xénophane et Parménide, dicte la géographie des trois mondes parcourus par Dante.

Les neuf ciels giratoires et l'hémisphère austral composé d'eau, avec une montagne en son centre, correspondent, on le sait, à une cosmologie dépassée ; certains pensent même que cette épithète est également applicable à l'économie surnaturelle du poème. Les neuf cercles de l'Enfer, pense-t-on, ne sont pas moins caducs et indéfendables que les neuf ciels de Ptolémée, et le Purgatoire est aussi irréel que la montagne où Dante le situe. À cette objection on peut opposer plusieurs considérations : la première c'est que Dante n'eut pas l'intention d'établir la véritable ou vraisemblable topographie de l'autre monde. Il l'a déclaré lui-même ; dans sa fameuse lettre à Cangrande, rédigée en latin, il a écrit que le sujet de sa *Comédie* est, littéralement, l'état des âmes après la mort et, allégoriquement, l'homme qui, par ses mérites ou ses démérites, s'attire les peines ou les récompenses divines. Iacopo di Dante, le fils du poète, a développé cette idée. Dans le prologue de son commentaire nous lisons que la *Comédie* veut montrer sous des couleurs allégoriques les trois façons d'être de l'humanité et que dans la première partie l'auteur considère le vice, en l'appelant l'Enfer ; dans la deuxième, le passage du vice à la vertu, en l'appelant le Purgatoire ; dans la troisième, la condition des hommes parfaits, en l'appelant le Paradis, « pour montrer l'élévation de leurs vertus et leur félicité, toutes deux nécessaires à l'homme pour discerner le bien suprême ».

C'est ce que comprirent d'autres commentateurs anciens, par exemple Iacopo della Lana, qui explique : « Le poète considérant que la vie humaine peut se présenter de trois façons, à savoir la vie des pécheurs, celle des pénitents et celle des justes, il divisa son livre en trois parties qui sont l'Enfer, le Purgatoire et le Paradis. »

Un autre témoignage qui fait foi est celui de Francesco da Buti, qui annota la *Comédie* à la fin du XIVᵉ siècle. Il fait siens les mots de la lettre à Cangrande : « Le sujet de ce poème est littéralement l'état des âmes quand elles quittent leur corps et moralement les récompenses ou les peines que l'homme obtient par son libre arbitre. »

Victor Hugo, dans *Ce que dit la bouche d'ombre*, écrit que le spectre qui dans l'Enfer prend pour Caïn la forme d'Abel est celui-là même que Néron prend pour Agrippine.

Bien plus grave que l'accusation de désuétude est l'accusation de cruauté. Nietzsche, dans *Le Crépuscule des dieux* (1888), a monnayé cette opinion dans l'épigramme étourdie qui définit Dante comme « l'hyène qui versifie dans les tombes ». La définition, comme on le voit, est moins ingénieuse qu'emphatique ; elle doit sa célébrité, son excessive célébrité, au fait de formuler de façon méprisante et brutale une opinion courante.

Chercher la raison de cette opinion est la meilleure façon de la réfuter.

Une autre raison, de type technique, explique la dureté et la cruauté dont Dante a été accusé. La notion panthéiste d'un Dieu qui est aussi l'univers, d'un Dieu qui est chacune de ses créatures et le destin de ces créatures, est peut-être une hérésie et une erreur si nous l'appliquons à la réalité mais elle est indiscutable si on l'applique au poète et à son œuvre. Le poète est chacun des hommes de son monde fictif, il en est chaque souffle et chaque détail. Une de ses tâches, et non des moindres, est de cacher ou de dissimuler cette omniprésence. Le problème est singulièrement ardu dans le cas de Dante, obligé par le caractère même de son poème d'adjuger la gloire ou la perdition, sans que ses lecteurs aient pu remarquer que la Justice qui émettait ces jugements n'était autre, en fin de compte, que lui-même. Pour obtenir ce résultat, il a inclus son propre personnage dans la *Comédie* et il a fait en sorte que ses réactions ne coïncident pas, ou ne coïncident que parfois – dans le cas de Filippo Argenti, par exemple, ou dans celui de Judas – avec les décisions divines.

LE DERNIER VOYAGE D'ULYSSE

Je voudrais, à la lumière de certains autres passages de *La Divine Comédie,* reconsidérer le récit énigmatique que Dante fait faire à Ulysse (*Enfer,* XXVI, 90-142). Au fond de ce cercle chaotique de l'Enfer où sont châtiés les conseillers perfides, Ulysse et Diomède brûlent sans fin dans une même flamme à deux cornes. Pressé par Virgile d'expliquer de quelle façon il a trouvé la mort, Ulysse raconte qu'après s'être séparé de Circé qui l'avait retenu plus d'une année à Gaète, ni la douceur d'avoir un fils, ni la pitié que lui inspirait Laërte, ni son amour pour Pénélope n'avaient pu étouffer dans son cœur le désir qu'il avait de connaître le monde et les vices et les vertus des hommes. Avec son dernier bateau et les quelques fidèles compagnons qui lui étaient restés, il s'était lancé vers la haute mer ; ils étaient vieux en arrivant au détroit où Hercule a fixé ses colonnes. À cette limite marquée par un dieu à l'ambition ou à l'audace, il avait incité ses compagnons, puisqu'il leur restait si peu de temps à vivre, à connaître le monde inhabité, les mers non sillonnées des antipodes. Il leur avait rappelé leur origine, il leur avait rappelé qu'ils n'avaient pas été créés pour vivre comme des brutes mais pour rechercher la vertu et la connaissance. Ils avaient donc navigué vers le couchant puis vers le sud et ils avaient vu toutes les étoiles que comporte l'hémisphère austral. Ils avaient fendu l'océan pendant cinq mois et ils avaient aperçu un beau jour une montagne brune à l'horizon. Elle leur avait paru plus haute qu'aucune autre et leurs âmes s'étaient réjouies. Mais cette joie n'avait pas tardé à se changer en douleur car une tempête s'était élevée qui avait fait tournoyer trois fois le bateau sur lui-même et à la quatrième fois il avait sombré, obéissant à l'Autre, et la mer s'était refermée sur eux.

Tel est le récit d'Ulysse. De nombreux commentateurs – depuis l'Anonyme florentin jusqu'à Raffaele Andreoli – estiment qu'il s'agit d'une digression de l'auteur. Ils pensent qu'Ulysse et Diomède, conseillers perfides, souffrent dans la fosse des conseillers perfides (« e dentro dalla lor fiamma si geme / l'agguato del caval [1]... ») et que ce récit de voyage n'est qu'un ornement épiso-

---

1. « et dans leur flamme ils pleurent / la ruse du cheval... » (*Enfer*, XXVI, 58-59).

dique. Tommaseo, en revanche, cite un passage de *La Cité de Dieu* et il aurait pu en citer un autre, de Clément d'Alexandrie, qui nie que les hommes puissent arriver à la partie inférieure de la Terre; Casini et Pietrobono, plus tard, taxeront ce voyage de sacrilège. En effet, la montagne qu'aperçoit le Grec avant d'être englouti dans l'abîme n'est autre que la sainte montagne du Purgatoire, interdite aux mortels (*Purgatoire*, I, 130-132). Hugo Friedrich observe à juste titre : « Le voyage s'achève par une catastrophe où il faut voir non pas une simple destinée de marin mais la sentence de Dieu » (*Odysseus in der Hölle*, Berlin, 1942).

Ulysse, en racontant son aventure, la qualifie d'insensée *(folle)*; au chant XXVII du *Paradis*, il est fait référence au *varco folle d'Ulisse*, à l'insensée, ou téméraire, traversée d'Ulysse. Le même adjectif est employé par Dante, dans la forêt obscure, devant la terrible invitation de Virgile (« *Temo che la venuta non sia folle* [2] »). La répétition est voulue. Quand Dante pose le pied sur la plage qu'Ulysse avait aperçue avant de mourir, il dit que personne n'a pu naviguer dans ces eaux et en revenir; puis il raconte que Virgile le ceignit d'un jonc, « *com'Altrui piacque* [3] » : ce

2. « Je crains que mon arrivée ne soit une folie » (*Enfer*, II, 35).
3. « Comme l'Autre [Caton, Dieu?] le voulut » (*Purgatoire*, I, 133).

sont les mêmes paroles que dit Ulysse en révélant sa fin tragique. Carlo Steiner a écrit : « Dante n'a-t-il pas pensé à Ulysse qui fit naufrage en voyant cette plage? Oui, bien sûr. Mais Ulysse voulut l'atteindre, confiant en ses propres forces et en défiant les limites imposées aux entreprises humaines. Dante, nouvel Ulysse, la foulera en vainqueur, ceint d'humilité, et il ne sera pas guidé par l'orgueil mais par la raison qu'illumine la grâce. » August Rüegg répète cette opinion (*Jenseitsvorstellungen vor Dante*, II, 114) : « Dante est un aventurier qui, tel Ulysse, marche hors des sentiers battus, parcourt des mondes qu'aucun homme avant lui n'a contemplés et se fixe les buts les plus difficiles et les plus lointains. Mais là s'achève le parallèle : Ulysse se lance à ses risques et périls dans des aventures interdites ; Dante, lui, se laisse mener par des forces supérieures. »

Deux passages célèbres de *La Divine Comédie* attestent cette différence. Le premier, celui où Dante se juge indigne de visiter les trois mondes de l'au-delà (« io non Enea, io non Paolo sono [4] ») et où Virgile révèle la mission dont l'a chargé Béatrice ; le second, celui où Cacciaguida (*Paradis*, XVII, 100-142) conseille la publication du poème. Devant ces témoignages, ce serait un

---

4. « Je ne suis pas Énée, je ne suis pas Paolo » (*Enfer*, II, 32).

non-sens de comparer les pérégrinations de Dante, qui conduisent à la vision béatifique et au meilleur des livres écrits par l'homme, à l'aventure sacrilège d'Ulysse qui aboutit en Enfer. Cette action-là semble être l'envers de l'autre.

Un tel argument, pourtant, comporte une erreur. L'action d'Ulysse est indiscutablement le voyage d'Ulysse car ce dernier n'est rien d'autre que le sujet dont on raconte l'action, alors que l'action ou l'entreprise de Dante n'est pas son voyage mais la composition de son livre. Le fait est évident et on a pourtant tendance à l'oublier parce que *La Divine Comédie* est rédigée à la première personne et que l'homme qui est mort a été relégué dans l'ombre par le protagoniste immortel. Dante était théologien; très souvent la rédaction de *La Divine Comédie* aura dû lui paraître non moins ardue, peut-être même non moins risquée et fatale que le dernier voyage d'Ulysse. Il avait osé forger des arcanes que la plume de l'Esprit-Saint esquisse à peine; l'entreprise constituait peut-être une faute en soi. Il avait osé mettre Béatrice Portinari sur le même rang que la Vierge et que Jésus [5]. Il avait osé devancer les sentences de l'insondable Jugement dernier que même les bienheureux ignorent; il

5. Cf. Giovanni Papini, *Dante vivo*, III, 34.

avait jugé et condamné les âmes de papes simoniaques et il avait sauvé celle de l'averroïste Siger qui enseigna la théorie du temps circulaire [6]. Que d'efforts laborieux pour la gloire, qui est chose éphémère!

> *Non è il mondan romore altro ch'un fiato*
> *di vento, ch'or vien quinci e or vien quindi,*
> *e muta nome perchè muta lato* [7].

Des traces vraisemblables de cette discorde subsistent dans le texte. Carlo Steiner en décèle une dans ce dialogue où Virgile vient à bout des craintes de Dante et le persuade d'entreprendre son voyage insolite. Steiner écrit ceci : « Ce débat avec Virgile que Dante imagine eut vraiment lieu dans son esprit alors qu'il n'avait pas encore décidé de composer son poème. Il a pour pendant cet autre débat du chant XVII du *Paradis,* où est envisagée la publication de son œuvre. Une fois composée, pourrait-il la publier et affronter la colère de ses ennemis? La conscience de sa valeur et du haut but qu'il s'était

---

6. Cf. Maurice de Wulf, *Histoire de la philosophie médiévale.*
7.   « La rumeur du monde n'est qu'un souffle
      de vent, qu'il vienne d'ici ou de là
      et qui change de nom en changeant de direction »
                                              (*Purgatoire,* XI, 100-102).

proposé triompha dans les deux cas ». Dans de tels passages, Dante aurait donc symbolisé un conflit mental; je pense qu'il l'a symbolisé également, peut-être sans le vouloir ni le savoir, dans le récit tragique d'Ulysse, et que c'est à cette charge d'émotion que ce récit doit sa force terrible. Dante a été Ulysse et il a pu craindre en quelque sorte le châtiment d'Ulysse.

Une dernière remarque : éprises de la mer et de Dante, les deux littératures de langue anglaise ont subi l'influence de l'Ulysse dantesque. Eliot (et avant lui Andrew Lang, et avant lui encore Longfellow) a insinué que l'admirable *Ulysses* de Tennyson procède de ce glorieux archétype. On n'a pas encore remarqué, que je sache, une affinité plus profonde : celle de l'Ulysse infernal avec un autre capitaine infortuné : le capitaine Achab de *Moby Dick.* L'un et l'autre forgent leur propre perte à force de veilles et de courage; le sujet est le même, la fin est identique, les derniers mots sont presque les mêmes. Schopenhauer a écrit que dans notre vie rien n'est involontaire; les deux fictions, à la lumière de cette prestigieuse opinion, sont le processus obscur et complexe d'un suicide.

Post-scriptum de 1981 : On a dit que l'Ulysse de Dante préfigure les explorateurs célèbres qui, des siècles plus tard, allaient aborder les côtes d'Amérique et de l'Inde. Des siècles avant la rédaction de *La Divine Comédie,* ce type humain existait déjà. Erik le Rouge découvrit l'île du Groenland vers l'année 985 ; au début du XIe siècle, son fils Leif débarqua au Canada. Dante ne pouvait savoir cela. Le Scandinave a tendance à être secret, à être comme un songe.

LE BOURREAU COMPATISSANT

Comme chacun sait, Dante met Francesca en Enfer et il écoute avec une pitié infinie l'histoire de sa faute. Comment atténuer cette discordance, comment la justifier? Quatre hypothèses me semblent envisageables.

La première est d'ordre technique. Ayant décidé le plan d'ensemble de son ouvrage, Dante pensa que celui-ci allait peut-être dégénérer en un inutile catalogue de noms propres ou en une description topographique si les confessions des âmes perdues ne venaient pas l'agrémenter. Il logea donc dans chacun des cercles de son enfer un réprouvé de marque mort depuis peu. (Lamartine, lassé par tous ces hôtes, a dit que *La Divine Comédie* était une « gazette florentine ».) Il fallait, naturellement, que ces confessions soient pathétiques; elles pouvaient l'être sans risque car l'auteur, ayant emprisonné les narrateurs dans l'Enfer, ne pouvait être soupçonné de complicité. Cette hypothèse (avec l'idée d'un orbe poétique imposé à un aride roman théologique, idée qui a été expliquée par Croce) est sans doute la plus vraisemblable mais elle a quelque chose de mesquin, de bas, et elle ne semble pas correspondre à l'idée que nous nous faisons de Dante. D'ailleurs, les interprétations d'un livre aussi infini que *La Divine Comédie* ne peuvent être aussi simples.

La deuxième hypothèse met sur le même plan, selon la doctrine de Jung [1], les inventions littéraires et les inventions oniriques. Dante, qui est maintenant notre rêve, a rêvé la peine de Francesca et a rêvé son apitoiement. Schopenhauer observe que, dans les rêves, nous pouvons être étonnés par ce que nous entendons et voyons,

---

1. Celle-ci est en quelque sorte préfigurée par la métaphore classique qui fait du rêve un spectacle théâtral. Comme Góngora, dans son sonnet *Varia imaginación* (Inconstante imagination) (« Le rêve, auteur de représentations, / Dans son théâtre sur le vent dressé / gonfle joliment des ombres »); comme Quevedo, dans le *Sueño de la muerte* (Songe de la mort) (« Quand mon âme libérée fut devenue oisive, sans la corvée des sens extérieurs, je fus assailli par la comédie suivante; et ainsi la récitèrent dans l'ombre mes facultés, alors que j'étais devenu l'auditoire et le théâtre de mes inventions »); comme Joseph Addison, dans le numéro 487 du *Spectator* (« l'âme, quand elle rêve, est théâtre, acteurs et auditoire »). Plusieurs siècles auparavant, le panthéiste Omar Khayyam composa une strophe que la version littérale de McCarthy traduit de la façon suivante : « Tu ne te caches désormais plus de personne; tu t'épanouis dans toutes les choses créées. Pour ton propre plaisir tu crées ces merveilles, étant à la fois spectacle et spectateur. »

bien que tout cela ait en fin de compte sa racine en nous-mêmes ; Dante a donc pu s'apitoyer sur ce qu'il avait rêvé ou inventé lui-même. On pourrait aussi dire que Francesca est une simple projection du poète, comme d'ailleurs Dante lui-même dans son rôle de voyageur infernal. Je soupçonne cependant cette hypothèse d'être trompeuse car attribuer une origine commune à des livres et à des rêves est une chose et c'en est une autre de tolérer dans des livres l'incohérence ou l'irresponsabilité des rêves.

La troisième hypothèse est, comme la première, de caractère technique. Dante, au long de *La Divine Comédie,* a dû anticiper les insondables décisions de Dieu. Sans autres lumières que celles de son esprit faillible, il s'est risqué à deviner certaines sentences du Jugement dernier. Il a condamné, du moins dans sa fiction littéraire, Célestin V et il a sauvé Siger de Brabant, qui soutint la thèse astrologique de l'Éternel Retour.

Pour dissimuler cette opération, il a défini Dieu, dans l'*Enfer,* par sa justice (« Giustizia mosse il mio alto fattore [2] ») et il s'est attribué à lui-même la compréhension et la pitié. Il a condamné Francesca et s'est apitoyé sur son sort. Benedetto Croce déclare : « Dante, comme théologien,

---

2. « La justice a poussé à agir mon haut créateur. »

comme croyant, comme homme moral, condamne les pécheurs; mais sentimentalement il ne condamne ni n'absout » (*La Poesia di Dante*, p. 78)[3].

La quatrième hypothèse est moins explicite. Elle demande, pour être comprise, une discussion préalable. Considérons deux propositions : la première, les assassins méritent la peine de mort; la seconde, Rodion Raskolnikov mérite la peine de mort. Il est évident que ces deux propositions ne sont pas synonymes. Paradoxalement, cela n'est pas dû à ce que les assassins sont concrets et Raskolnikov abstrait ou fictif mais à l'inverse. Le concept d'assassin dénote une simple généralisation; Raskolnikov, pour celui qui a lu son histoire, est un être réel. Dans la réalité, il n'y a pas, à strictement parler, d'assassins; il y a des individus que la maladresse du langage inclut dans cet ensemble indéterminé. (C'est rigoureusement ce que soutient le nominalisme de Roscelin et de Guillaume d'Occam.) Autrement dit, celui qui a lu le roman de Dostoïevski a été, d'une certaine façon, Raskolnikov, et il sait que son « crime » n'est pas un acte libre car

3. Andrew Lang raconte que Dumas pleura quand il fit mourir Porthos. Nous sentons pareillement l'émotion de Cervantes à la mort d'Alonso Quijano : « Celui-ci, au milieu de la douleur et des larmes de ceux qui l'assistaient, rendit l'esprit; je veux dire qu'il mourut. »

il a été préparé et déterminé par un réseau inévitable de circonstances. L'homme qui a tué n'est pas un assassin, l'homme qui a volé n'est pas un voleur, l'homme qui a menti n'est pas un imposteur; c'est ce que savent (ou plutôt ce que ressentent) les condamnés; par conséquent il n'y a pas de châtiment sans injustice. La fiction juridique d'*assassin* peut mériter la peine de mort mais pas le malheureux qui a assassiné, poussé par son histoire antérieure et peut-être – oh! marquis de Laplace! – par l'histoire de l'univers. Mme de Staël a condensé ces principes dans une phrase célèbre : « *Tout comprendre c'est tout pardonner.* »

Dante raconte avec une pitié si délicate la faute de Francesca que nous sentons tous qu'elle était inévitable. C'est ce qu'a dû sentir aussi le poète même si le théologien démontre dans le *Purgatoire* (XVI, 70) que si nos actes dépendaient de l'influence des étoiles il n'y aurait plus de libre arbitre et ce serait une injustice de récompenser le bien ou de punir le mal [4].

Dante comprend et ne pardonne pas. Tel est l'insoluble paradoxe. Je crois pour ma part qu'il l'a résolu au-delà de la logique. Il a non pas

---

4. Cf. *De monarchia*, I, 14; *Purgatoire*, XVIII, 73; *Paradis*, V, 19. Plus éloquent encore est ce vers du chant XXXI : « Tu m'hai di servo tratto a libertate » (*Paradis*, 85). (« Tu m'as conduit du servage à la liberté. »)

compris mais senti que les actes de l'homme étaient nécessaires comme était nécessaire l'éternité, de béatitude ou de perdition, que ces actes entraînaient. Les spinozistes et les stoïciens ont nié eux aussi le libre arbitre et eux aussi ils ont promulgué des lois morales. Il est superflu de rappeler Calvin, dont le *decretum Dei absolutum* prédestine les hommes à l'Enfer ou au Ciel. On peut lire dans le discours préliminaire du *Coran* de Sale qu'une secte islamique soutient la même thèse.

Comme on le voit, cette quatrième hypothèse ne résout pas le problème. Elle se borne à l'énoncer, vigoureusement. Les autres hypothèses étaient logiques; celle-ci, qui ne l'est pas, me semble être la bonne.

LE FAUX PROBLÈME D'UGOLIN

Je n'ai pas lu (personne n'a lu) tous les commentaires de l'œuvre de Dante mais je soupçonne qu'ils ont contribué, dans le cas du fameux vers 75 de l'avant-dernier chant de l'*Enfer*, à créer un problème né d'une confusion entre l'art et la réalité. Dans ce vers, Ugolin de Pise, après avoir raconté la mort de ses enfants dans la Prison de la Faim, dit que sa faim fut plus forte que sa douleur (« Poscia, piu che'l dolor, potè il digiuno [1] »). Mon reproche ne concerne pas les commentaires anciens où ce vers ne pose pas de problème car tous font comprendre que ce n'était pas la douleur mais la faim qui pouvait tuer Ugolin. Ainsi l'entend également Geoffrey Chaucer dans le résumé grossier de l'épisode qu'il intercala dans son cycle de Canterbury.

Reconsidérons la scène. Au fond glacial du

---

1. « Ensuite la faim fut plus forte que la douleur » (*Enfer*, XXXIII, 75.)

neuvième cercle, Ugolin ronge indéfiniment la nuque de Ruggieri degli Ubaldini et essuie sa bouche sanguinaire aux cheveux du réprouvé. Il détache ses lèvres, sans lever son visage, de son repas féroce et il raconte que Ruggieri l'a trahi et l'a emprisonné avec ses enfants. Par l'étroite fenêtre de sa cellule il a vu croître et décroître plusieurs lunes jusqu'au soir où il a rêvé que Ruggieri, avec des chiens affamés, chassait aux flancs d'une montagne un loup et ses louveteaux. À l'aube, il entend les coups de marteau qui condamnent l'entrée de la tour. Un jour et une nuit passent, dans le silence. Ugolin, poussé par la douleur, se mord les mains; ses enfants croient que son geste est dû à la faim et ils lui offrent leur chair, cette chair qu'il a engendrée. Entre le cinquième et le sixième jour, Ugolin les voit mourir un à un. Puis il devient aveugle et parle avec ses morts, il pleure et il les palpe dans l'ombre; puis sa faim fut plus forte que sa douleur.

J'ai dit quel sens ont donné à ce passage les premiers commentateurs. Rambaldi de Imola, au XIVe siècle, explique : « Cela revient à dire que la faim vainquit celui que tant de douleur n'avait pu vaincre et tuer. » Parmi les commentateurs modernes, Francesco Torraca, Guido Vitali et Tommaso Casini sont du même avis. Le premier voit dans les paroles d'Ugolin stupeur et remords; le dernier ajoute : « Des interprètes modernes ont imaginé qu'Ugolin finit par se nourrir de la chair de ses enfants, hypothèse contraire à la nature et à l'histoire », et il considère inutile la controverse. Benedetto Croce pense comme lui et soutient que des deux interprétations, c'est la traditionnelle qui est la plus judicieuse et vraisemblable. Bianchi dit, très raisonnablement : « D'autres entendent qu'Ugolin mangea la chair de ses enfants, interprétation improbable mais qu'il n'est pas permis d'écarter. » Luigi Pietrobono (sur l'opinion duquel je reviendrai) dit que le vers est délibérément mystérieux.

Avant de prendre part, à mon tour, à *l'inutile controverse,* je voudrais m'arrêter un instant à l'offre unanime des enfants. Ceux-ci prient leur père de reprendre ces chairs qu'il a engendrées :

> ....*tu ne vestiti*
> *queste misere carni, e tu le spogli* [2].

Je pense que ce discours doit causer une gêne croissante à ceux qui l'admirent. De Sanctis (*Storia della letteratura italiana,* IX) vante l'assemblage imprévu d'images hétérogènes; D'Ovidio

2. « .... tu nous as revêtus
de cette chair misérable, et tu peux nous la reprendre »
(*Enfer,* XXXIII, 62-63).

admet que « cette vaillante et sentencieuse manifestation d'un élan filial désarme en quelque sorte toute critique ». Il s'agit là, à mon avis, d'un des très rares passages de *La Divine Comédie* qui sonnent faux. Je le juge moins digne de cette œuvre que de la plume de Malvezzi ou de la vénération de Gracián. Dante, me semble-t-il, n'a pas pu ne pas sentir cette fausseté qu'aggrave certes le fait que les quatre enfants font presque en chœur cette offre famélique. On insinuera peut-être qu'il s'agit là d'un mensonge d'Ugolin, inventé pour justifier (ou suggérer) son crime antérieur.

Le problème historique de savoir si Ugolin della Gherardesca, au début de février de l'an 1289, pratiqua le cannibalisme est évidemment insoluble. Le problème esthétique ou littéraire est très différent. On peut le poser en ces termes : Dante a-t-il voulu que nous pensions qu'Ugolin (celui de son *Enfer*, pas le personnage historique) avait mangé la chair de ses enfants ? Je risquerais la réponse suivante : Dante a voulu non pas que nous le pensions mais que nous le soupçonnions [3]. L'incertitude fait partie de son dessein. Ugolin ronge le crâne de l'archevêque ; Ugolin

---

3. Luigi Pietrobono (*Enfer*, p. 47) observe « que le *digiuno* ne confirme pas la faute d'Ugolin mais que ce mot la laisse deviner sans porter atteinte à l'art ni à la rigueur historique. Il suffit que nous la jugions *possible* ».

rêve à des chiens aux crocs aigus qui lacèrent les flancs du loup (« ...e con l'agute scane / mi parea lor veder fender li fianchi[4] »). Ugolin, poussé par la douleur, se mord les mains; il entend ses enfants lui faire l'offre invraisemblable de leur chair; après avoir prononcé le vers ambigu, il recommence à ronger le crâne de l'archevêque. De tels actes suggèrent ou symbolisent le fait atroce. Ils ont un double rôle : nous pensons qu'ils font partie du récit et ils sont prophétiques.

Pour Robert Louis Stevenson (*Ethical Studies,* 110) les personnages d'un livre sont des suites de mots; si blasphématoire que cela nous paraisse, c'est à cela que se réduisent Achille ou Peer Gynt, Robinson Crusoé ou Don Quichotte. Tout comme les puissants qui régirent le monde : Alexandre n'est qu'une suite de mots et Attila une autre. D'Ugolin nous dirons qu'il est une texture verbale d'une trentaine de tercets. Doit-on inclure dans cette texture la notion de cannibalisme? Il nous faut, je le répète, en avoir le soupçon, incertain et craintif. Il est moins terrible de nier ou d'affirmer le monstrueux délit d'Ugolin que de le soupçonner.

En disant qu'*un livre est fait des mots qui le*

---

4. « ... et de leurs crocs aigus / il me semblait les voir lui déchirer les flancs » (*Enfer,* XXXIII, 35-36).

composent on court le risque d'énoncer un axiome insipide. Nous avons pourtant tous tendance à croire qu'il existe une forme séparable d'un fond et que dix minutes d'entretien avec Henry James nous révéleraient le « véritable » sujet du *Tour d'écrou*. Je pense que telle n'est pas la vérité ; je pense que Dante n'en a jamais su beaucoup plus au sujet d'Ugolin que ce que racontent ses tercets. Schopenhauer déclara que le premier volume de son œuvre maîtresse ne comportait qu'une seule pensée et qu'il n'avait pas trouvé le moyen de la transmettre d'une façon plus brève. Dante pourrait dire à l'inverse que tout ce qu'il a imaginé au sujet d'Ugolin se trouve dans ces tercets controversés.

Dans le temps réel, historique, chaque fois qu'un homme est amené à choisir entre plusieurs solutions, il opte pour l'une d'elles et il élimine et perd les autres. Il n'en va pas de même dans le temps ambigu de l'art, qui ressemble à celui de l'espérance ou à celui de l'oubli. Hamlet, dans cette sorte de temps, est à la fois sain d'esprit et fou [5]. Dans les ténèbres de sa Tour de la Faim, Ugolin dévore ou ne dévore pas ses

5. Rappelons, à titre de curiosité, deux ambiguïtés célèbres. La première, *la lune sanglante* de Quevedo, qui est à la fois celle des champs de bataille et celle du drapeau ottoman ; l'autre, la *mortal moon* du sonnet 107 de Shakespeare, qui est la lune du ciel et la Reine Vierge.

cadavres aimés, et cette oscillante imprécision, cette incertitude, est l'étrange matière dont il est fait. Ainsi l'a rêvé Dante, avec deux agonies possibles, et ainsi le rêveront les générations à venir.

DANTE ET LES VISIONNAIRES
ANGLO-SAXONS

Dans le chant X du *Paradis,* Dante raconte qu'il est monté jusqu'à la sphère du Soleil et qu'il a vu sur l'orbe de cette planète – le Soleil est une planète dans l'économie dantesque – une ardente couronne de douze esprits plus lumineux que la lumière sur laquelle ils se détachaient. Le premier, Thomas d'Aquin, lui révèle le nom des suivants; le septième est Bède. Les commentateurs expliquent qu'il s'agit de Bède le Vénérable, diacre du monastère de Jarrow et auteur de l'*Historia ecclesiastica gentis Anglorum.*

Malgré son épithète, cette première histoire d'Angleterre, qui fut rédigée au VIIIe siècle, transcende l'ecclésiastique. C'est l'œuvre émue et personnelle d'un investigateur scrupuleux et d'un homme de lettres. Bède dominait le latin, connaissait le grec et souvent un vers de Virgile lui vient spontanément sous la plume. Tout l'intéressait : l'histoire universelle, l'exégèse de l'Écriture, la musique, les figures de rhétorique [1], l'orthographe, les systèmes de numérotation, les sciences naturelles, la théologie, la poésie latine et la poésie de son pays. Il y a pourtant un sujet sur lequel il garde délibérément le silence. Dans sa chronique des missions obstinées qui finirent par imposer la foi de Jésus aux royaumes germaniques d'Angleterre, Bède aurait pu faire pour le paganisme saxon ce que Snorri Sturluson, quelque cinq cents ans plus tard, allait faire pour le paganisme scandinave. Sans trahir le pieux propos de son œuvre, il aurait pu mentionner ou ébaucher la mythologie de ses ancêtres. Comme c'était à prévoir, il n'en fit rien. La raison est évidente : la religion ou la mythologie des Germains n'était pas encore bien loin. Bède voulait l'oublier; il voulait que son pays, l'Angleterre, l'oublie. Nous ne saurons jamais si les dieux qu'adorait Hengist verront un crépuscule et si en ce jour redoutable où le Soleil et la Lune seront dévorés par des loups, un bateau fait des ongles des morts partira du pays de la glace. Nous ne saurons jamais si ces divinités perdues formaient un panthéon ou si

---

1. Bède trouva dans l'Écriture ses exemples de figures de rhétorique. Ainsi, pour la synecdoque, où la partie est prise pour le tout, il cita le verset 14 du premier chapitre de l'Évangile selon saint Jean : *Et le Verbe s'est fait chair...* En réalité, le Verbe non seulement s'est fait chair mais os, cartilages, eau et sang.

elles étaient, comme le soupçonna Gibbon, de vagues superstitions barbares. En dehors de la phrase rituelle *cujus pater Voden*, qui figure dans toutes ses généalogies de lignages royaux, et mis à part ce roi avisé qui avait dressé un autel pour Jésus et un autre, plus petit, pour les démons, Bède fit peu pour satisfaire la curiosité future des germanistes. Il s'écarta, en revanche, du droit chemin chronologique pour consigner des visions ultraterrestres qui préfigurent l'œuvre de Dante.

J'en citerai une. Fursy, nous dit Bède, fut un ascète irlandais qui avait converti beaucoup de Saxons. Au cours d'une maladie, il fut enlevé en esprit par les anges et il monta au Ciel. Durant son ascension, il vit quatre feux, pas très distants les uns des autres, qui rougeoyaient dans le noir. Les anges lui expliquèrent que ces feux allaient consumer le monde et que leurs noms étaient Discorde, Iniquité, Mensonge et Cupidité. Les feux grandirent jusqu'à se rejoindre et ils l'atteignirent ; Fursy eut peur mais les anges lui dirent : *Un feu que tu n'as pas allumé ne te brûlera pas.* En effet, les anges écartèrent les flammes et Fursy arriva au Paradis, où il vit des choses admirables. En revenant sur la Terre, il fut menacé une deuxième fois par un feu d'où un démon lui lança l'âme incandescente d'un réprouvé qui lui brûla l'épaule droite et le menton. Un ange lui dit : *Maintenant tu es brûlé par le feu que tu as allumé. Sur la Terre tu as accepté les vêtements d'un pécheur; maintenant son châtiment va t'atteindre.* Fursy conserva les stigmates de cette vision jusqu'au jour de sa mort.

Une autre vision est celle d'un homme de Northumbrie, appelé Drycthelm. Celui-ci, après une maladie qui dura plusieurs jours, mourut au crépuscule et ressuscita soudainement à l'aube naissante. Sa femme le veillait; Drycthelm lui dit qu'en réalité il renaissait d'entre les morts et qu'il se proposait de vivre d'une tout autre façon. Après avoir prié, il divisa ses biens en trois parties, donna la première à sa femme, la deuxième à ses enfants et la troisième et dernière aux pauvres. Il prit congé de tous et se retira dans un monastère où sa vie ascétique témoignait des choses désirables ou épouvantables qui lui avaient été révélées la nuit de sa mort et qu'il narrait ainsi : « Celui qui me guidait avait le visage resplendissant et son vêtement étincelait. Nous avons marché en silence, vers le nord-est m'a-t-il semblé. Nous sommes arrivés dans une vallée profonde, vaste et d'une interminable étendue; à gauche il y avait du feu, à droite des tourbillons de grêle et de neige. La tempête jetait d'un côté à l'autre une foule d'âmes en peine, de sorte que les malheureux qui fuyaient le feu inextinguible tombaient dans le froid glacial et ainsi indéfiniment. Je pensai que ces régions hostiles étaient sans doute l'Enfer mais la forme qui me précédait me dit : *Tu n'es pas encore dans l'Enfer.* Nous continuâmes d'avancer, l'obscurité s'épaississait et je ne percevais rien d'autre que la lueur éclatante de celui qui me guidait. D'innombrables sphères de fumée noire montaient d'un abîme profond et y retombaient ensuite. Mon guide m'abandonna et je restai seul parmi les cercles incessants qui étaient remplis d'âmes. Une puanteur monta de l'abîme. Je m'arrêtai, pris de peur et au bout d'un temps qui me parut interminable, j'entendis derrière moi des lamentations désolées et des rires cruels, comme si une foule confuse se moquait d'ennemis captifs. Une troupe de démons joyeux et féroces traînaient au centre de l'obscurité cinq âmes sœurs. L'une d'elles était tonsurée comme un clerc, une autre était celle d'une femme. Elles se perdirent dans les profondeurs ; les gémissements humains se confondirent avec les rires démoniaques et dans mon oreille persista l'informe rumeur. De noirs esprits m'ont entouré, surgis des profondeurs du feu et, sans oser me toucher, m'ont terrifié par leurs regards et par leurs flammes. Cerné d'ennemis et de ténèbres, je ne suis pas parvenu à me défendre. J'ai vu venir par le chemin une étoile qui grandissait et s'approchait. Les démons se sont enfuis et j'ai vu que l'étoile était un ange.

Celui-ci a tourné à droite et nous sommes allés vers le sud. Nous sommes allés de l'ombre vers la clarté et de la clarté vers la lumière, puis j'ai vu une muraille infinie par sa hauteur et sa largeur. Elle n'avait ni portes ni fenêtres et je ne comprenais pas pourquoi nous nous approchions d'elle. Brusquement, sans savoir comment, nous nous sommes retrouvés à son sommet et j'ai pu voir une grande prairie fleurie dont le parfum a dissipé la puanteur des prisons infernales. Des personnes vêtues de blanc peuplaient la prairie; mon guide m'a conduit parmi ces assemblées heureuses et j'ai pensé que c'était peut-être là le royaume des cieux, dont j'avais entendu tant de louanges mais mon guide me dit : *Tu n'es pas encore au Ciel.* Au-delà de ces lieux de séjour il y avait une lumière resplendissante et dans cette lumière des voix qui chantaient et un parfum si merveilleux qu'il effaçait l'odeur précédente. Quand je croyais que nous allions entrer dans cet endroit de délices, mon guide m'a arrêté et m'a fait reprendre notre long chemin en sens inverse. Il m'a déclaré ensuite que la vallée du froid et du feu était le Purgatoire; l'abîme, la bouche de l'Enfer; la prairie, l'endroit où les justes attendent le Jugement dernier et le lieu de la musique et de la lumière, le royaume des Cieux. *Et à toi,* a-t-il ajouté, *qui maintenant vas retourner dans ton corps et habiter de nouveau parmi les hommes, je te dis que si tu vis avec droiture, tu auras ta place dans la prairie puis au Ciel car si je t'ai laissé seul un moment, c'était pour aller demander quel serait ton destin futur.* Il m'a semblé dur de revenir dans mon corps, mais je n'ai rien osé dire et je me suis réveillé sur la Terre. »

Dans l'histoire que je viens de transcrire, on aura remarqué des passages qui rappellent – ou mieux qui préfigurent – des passages de l'œuvre de Dante. Le moine n'est pas brûlé par le feu qu'il n'a pas allumé ; Béatrice également est invulnérable au feu de l'Enfer (« nè fiamma d'esto incendio non m'assale [2] »).

À droite de cette vallée qui semble illimitée, des tempêtes de grêle et de glace châtient les réprouvés, frappent les damnés ; dans le troisième cercle les épicuriens souffrent une peine identique. L'homme de Northumbrie est désespéré par l'abandon momentané de l'ange ; Dante par celui de Virgile (« Virgilio a cui per mia salute die'mi [3] »). Drycthelm ne sait pas comment il a pu monter en haut de la muraille ; Dante ne comprend pas comment il a pu traverser le triste Achéron.

2. « ni la flamme de cet incendie ne peut me blesser » (*Enfer*, II, 93).

3. « Virgile à qui je me confiai pour qu'il me sauve » (*Purgatoire*, XXX, 51).

Plus intéressants que ces correspondances, que je n'ai certes pas épuisées, sont les détails circonstanciels que Bède entremêle à son récit et qui donnent une singulière vraisemblance à ses visions surnaturelles. Je me bornerai à rappeler la persistance de ses brûlures, le fait que l'ange devine la pensée secrète de l'homme, les rires qui se mêlent aux lamentations et la perplexité du visionnaire devant la haute muraille. Une tradition orale a peut-être fourni ces détails à la plume du narrateur; ils contiennent en tout cas ce mélange de réel et de merveilleux qui est typique chez Dante et qui n'a rien à voir avec les habitudes de la littérature allégorique.

Dante a-t-il jamais lu l'*Historia ecclesiastica*? C'est fort peu probable. Le fait que le nom de Bède (qui a l'avantage pour la versification d'être bisyllabique) soit inclus dans une liste de théologiens, ne prouve, en bonne logique, pas grandchose. Au Moyen Âge, on faisait confiance aux gens; il n'était pas nécessaire de lire les ouvrages du docte Anglo-Saxon pour admettre son autorité, de même qu'il n'était pas nécessaire d'avoir lu les poèmes homériques, confinés dans une langue presque secrète, pour savoir qu'Homère (*« Mira colui con quella spada in mano* [4] *»*) pouvait très bien marcher devant Ovide, Lucain et

4. « Regarde celui-là avec son épée à la main » (*Enfer*, IV, 86).

Horace. Une autre remarque s'impose. Pour nous, Bède est un historien de l'Angleterre; pour ses lecteurs médiévaux, c'était un commentateur des Écritures, un rhéteur et un chronologiste. Dante n'avait aucune raison d'être spécialement attiré par l'histoire de ce vague pays qu'était alors l'Angleterre.

Il est moins important de savoir si oui ou non Dante connaissait les visions rapportées par Bède que de constater le fait que ce dernier les a incorporées à son œuvre historique, les jugeant par là dignes de mémoire. Un grand livre comme *La Divine Comédie* n'est pas le caprice isolé et fortuit d'un individu mais l'effort conjugué d'un grand nombre d'hommes et de générations. Rechercher ses précurseurs, ce n'est pas se livrer à une misérable tâche de caractère juridique ou policier; c'est sonder les mouvements, les tâtonnements, les aventures, les intuitions et les prémonitions de l'esprit humain.

PURGATOIRE, I, 13

Comme tous les mots abstraits, le mot *métaphore* est une métaphore puisqu'il veut dire en grec transposition. Une métaphore comporte, en général, deux termes. Momentanément, l'un devient l'autre. Les Saxons donnèrent ainsi à la mer le nom de *chemin de la baleine* ou *chemin du cygne*. Dans le premier exemple, la grandeur de la baleine convient à la grandeur de la mer; dans le second, la petitesse du cygne contraste avec son immensité. Nous ne saurons jamais si ceux qui forgèrent ces métaphores remarquèrent ces connotations. Au vers 60 du chant I de l'*Enfer* on lit ceci : « mi ripigneva là dove'l sol tace [1] ».

Où se tait le soleil; un verbe auditif exprime une image visuelle. Rappelons le fameux hexamètre de l'*Énéide* : « *a Tenedo, tacitae per amica silentia lunae* ».

---

1. « me faisait revenir là où se tait le soleil ».

75

Au-delà de la fusion de deux termes, je me propose ici d'examiner trois vers curieux.

Le premier est le vers 13 du chant I du *Purgatoire* : « Dolce color d'oriental zaffiro [2]. »

Buti déclare que le saphir est une pierre précieuse d'une couleur entre bleu ciel et bleu, très agréable à l'œil et que le saphir oriental est une variété qu'on trouve en Médie.

Dante, dans le vers en question, évoque la couleur de l'Orient par un saphir qui comporte en son nom l'Orient. Il suggère ainsi un jeu réciproque qui pourrait bien être infini [3].

Dans les *Hebrew Melodies* (1815) de Byron, j'ai découvert un artifice analogue : « She walks in beauty, like the Night. »

Elle avance dans sa beauté, comme la nuit; pour accepter ce vers, le lecteur doit imaginer une grande femme brune qui avance comme la Nuit,

2. « Douce couleur d'oriental saphir. »

3. Nous lisons dans la première strophe des *Solitudes* de Góngora :

> « C'était de l'an la saison tout fleurie
> où le mensonger ravisseur d'Europe,
> croissant de lune les armes de son front
> et le Soleil tous les rayons de son pelage,
> luisant honneur du ciel,
> en des champs de saphir va paître les étoiles... »
>   (Trad. Pierre Darmangeat.)

Le vers du *Purgatoire* est aérien; celui des *Solitudes* se veut délibérément bruyant.

qui est à son tour une grande femme brune, et ainsi à l'infini [4].

Mon troisième exemple est pris à Robert Browning. Il figure dans la dédicace du vaste poème dramatique *The Ring and the Book* (1868) : « *O lyric Love, half angel and half bird...* »

Le poète dit d'Elizabeth Barrett, qui est morte, qu'elle est moitié ange et moitié oiseau, mais l'ange est déjà moitié oiseau et il s'amorce ainsi une subdivision qui peut être interminable.

Je ne sais si je peux inclure dans cette anthologie fortuite le vers contesté de Milton (*Paradise Lost*, IV, 323) : « ... the fairest of her daughters, Eve ».

La plus belle de ses filles, Ève; pour la raison, ce vers est absurde; pour l'imagination, il se peut qu'il ne le soit pas.

---

4. Baudelaire a écrit dans *Recueillement* :
« Entends, ma chère, entends la douce Nuit qui marche. »
La marche silencieuse de la nuit ne devrait pas s'entendre.

LE NOBLE CHÂTEAU DU CHANT IV

Au début du XIXᵉ siècle ou à la fin du XVIIIᵉ, entrent en circulation dans la langue anglaise certaines épithètes *(eerie, uncanny, weird)*, d'origine saxonne ou écossaise, qui serviront à définir ces lieux ou ces choses qui inspirent une vague horreur. Ces épithètes correspondent à une conception romantique du paysage. En allemand, elles sont parfaitement traduites par le mot *unheimlich*; en espagnol, c'est sans doute le mot *siniestro* qui serait le plus juste. Pensant à cette étrange qualité d'*uncanniness,* j'écrivis un jour : « La Forteresse de Feu, que nous voyons aux dernières pages du *Vath Vathek* (1782) de William Beckford, est le premier Enfer vraiment atroce de la littérature. La plus illustre des géhennes littéraires, *le douloureux royaume de la Comédie,* n'est pas un lieu atroce; c'est un lieu où il se passe des choses atroces. C'est nettement différent. »

Stevenson *(A Chapter on Dreams)* rapporte que

dans les rêves de son enfance il était obsédé par une couleur brune d'une nuance abominable; Chesterton (*L'homme qui était Jeudi*, VI) imagine qu'il existe peut-être aux confins occidentaux du monde un arbre qui est à la fois plus et moins qu'un arbre et aux confins orientaux une sorte de tour dont l'architecture est en elle-même perverse. Edgar Poe, dans le *Manuscrit trouvé dans une bouteille*, parle d'une mer australe où un bateau augmente de volume comme le corps vivant d'un marin; Melville consacre de nombreuses pages de *Moby Dick* à élucider l'horreur causée par la blancheur insupportable de la baleine... J'ai prodigué des exemples; peut-être aurait-il suffi d'observer que l'Enfer dantesque magnifie l'idée d'une prison [1]; celui de Beckford, les tunnels d'un cauchemar.

L'autre soir, sur un quai de Constitución, je me suis soudain rappelé un cas parfait d'*uncanniness*, d'horreur tranquille et silencieuse, au début même de *La Divine Comédie*. L'examen du texte a confirmé l'exactitude de ce souvenir tardif. Je veux parler du chant IV de l'*Enfer*, l'un des plus célèbres.

Quand on arrive aux dernières pages du *Paradis*, la *Comédie* peut être quantité de choses et

---

1. *Carcere cieco*, prison aveugle, dit Virgile de l'Enfer (*Purgatoire*, XXII, 103; *Enfer*, X, 58-59).

sans doute toutes les choses; au départ, on le sait, il s'agit d'un rêve de Dante et ce dernier, pour sa part, n'est que le sujet qui rêve. Il nous dit qu'il ne sait pas comment il s'est trouvé dans la forêt obscure, «tant' era pieno di sonno a quel punto[2]»; le *sonno* est une métaphore de l'aveuglement de l'âme pécheresse mais elle suggère le début imprécis du rêve. Dante écrit ensuite que la louve qui lui barre le passage est responsable de ce que beaucoup d'êtres vivent dans la tristesse; Guido Vitali observe que cette nouvelle n'a pu surgir de la simple vision du fauve; Dante sait cela comme on sait les choses dans un rêve. Dans la forêt apparaît alors un inconnu; Dante, dès qu'il le voit, sait que ce dernier a gardé un long silence : autre savoir de caractère onirique. Le fait, note Momigliano, se justifie par des raisons non pas logiques mais poétiques. Ils entreprennent leur fantastique voyage. Virgile change de visage en entrant dans le premier cercle abyssal; Dante attribue sa pâleur à de la peur. Virgile affirme qu'il est mû par la pitié et qu'il est l'un de ces réprouvés («e di questi cotai son io medesmo[3]»). Dante, pour dissimuler l'horreur que lui cause cette affirmation ou pour exprimer sa compassion, pro-

---

2. «tellement j'avais sommeil à cet instant» (*Enfer*, I, 11).
3. «et de ceux-là je fais moi-même partie» (*Enfer*, IV, 39).

digue les marques de respect : « Dimmi, maestro mio, dimmi, segnore [4]. » Des soupirs, des soupirs d'un deuil sans tourment font trembler l'air; Virgile explique qu'ils sont arrivés dans l'Enfer de ceux qui sont morts avant la proclamation de la Foi; quatre grandes ombres le saluent; il n'y a ni tristesse ni joie sur leurs visages; ce sont Homère, Horace, Ovide et Lucain, et Homère tient dans sa main droite une épée, symbole de sa primauté en poésie épique. Ces illustres fantômes accueillent Dante comme un des leurs et le conduisent à leur éternelle demeure qui est un château entouré sept fois de hautes murailles (les sept arts libéraux ou les trois vertus intellectuelles et les quatre vertus morales) et par un fossé plein d'eau (les biens terrestres ou l'éloquence) qu'ils traversent comme si c'était la terre ferme. Les habitants du château sont gens de haute autorité; ils parlent peu et leur voix est très faible; ils regardent gravement, avec lenteur. Dans la cour du château s'étend un gazon d'un vert mystérieux; Dante voit d'une éminence des personnages classiques et bibliques et un musulman (« Averrois, che'l gran comento feo [5] »). L'un se distingue par un trait qui le rend mémorable (« Cesare armato con li occhi grifa-

4. « Dis-moi, mon maître, dis-moi, mon seigneur » (*Enfer*, IV, 46).
5. « Averroès, qui fit le grand commentaire » (*Enfer*, IV, 144).

gni [6] »); un autre par une solitude qui le grandit
(« e solo, in parte, vidi'l Saladino [7] »); ils vivent
dans un désir sans espoir : ils ne souffrent pas
mais ils savent que Dieu les exclut. Un catalogue
aride de noms propres, cherchant moins à sti-
muler l'imagination qu'à informer, achève ce
chant.

L'idée qu'il y a les Limbes des Patriarches, ou
sein d'Abraham (Luc, 16, 22), et des Limbes
pour les âmes des enfants qui meurent sans bap-
tême, fait partie de la théologie courante :
accueillir en ce lieu, ou ces lieux, les païens vertueux fut, d'après Francesco Torraca, une
invention de Dante. Pour mitiger l'horreur d'une
époque adverse, le poète chercha refuge dans
la grande mémoire romaine. Il voulut l'honorer
dans son livre mais il comprit certainement – la
remarque est de Guido Vitali – que trop insister
sur le monde classique ne conviendrait pas à ses
intentions doctrinales. Dante ne pouvait pas,
contre la Foi, sauver ses héros; il les imagina
donc dans un enfer négatif, privés de la vue et
de la possession de Dieu dans le ciel, et il s'api-
toya sur leur mystérieux destin. Des années plus
tard, en imaginant le Ciel de Jupiter, il revien-
drait sur ce problème. Boccace rapporte qu'entre

6. « César en armes, avec ses yeux rapaces » (*Enfer*, IV, 123).
7. « et seul, à part, je vis Saladin » (*Enfer*, IV, 129).

85

la rédaction du chant VII de l'*Enfer* et celle du chant VIII, il y eut une longue interruption, due à l'exil : le fait, que suggère ou confirme le vers « Io dico, seguitando ch'assai prima [8] », peut être exact mais bien plus profonde est la différence entre le chant du Château et ceux qui le suivent. Dans le chant V, Dante fit parler de façon immortelle Francesca da Rimini ; que n'aurait-il pas fait dire, dans le chant précédent, à Aristote, à Héraclite ou à Orphée, s'il avait pensé plus tôt à cet artifice. Voulu ou non, son silence intensifie l'horreur et convient à la scène. Benedetto Croce remarque : « Dans le noble château, parmi les grands et les sages, la sèche information usurpe la place de la poésie refrénée. L'admiration, le respect, la mélancolie sont des sentiments évoqués, non représentés » (*La Poesia di Dante*, 1920). Les commentateurs ont dénoncé le contraste entre l'architecture médiévale du château et ses hôtes venus du monde classique ; cette fusion ou confusion est caractéristique de la peinture de l'époque et renforce à coup sûr la saveur onirique de la scène.

Dans l'invention et la réalisation de ce chant IV, Dante fit jouer une série de circonstances parmi lesquelles une de caractère théo-

8. « Je dis, reprenant ma narration, que bien avant » (*Enfer*, VIII, 1).

logique. Fervent lecteur de *L'Énéide,* il imagina les morts dans l'Élysée ou dans une variante médiévale de ces champs paradisiaques; dans le vers « in luogo aperto, luminoso e alto [9] » il y a une réminiscence du tertre d'où Énée voit ses soldats romains et du *largior hic campos aether.* Mais poussé par des raisons dogmatiques, il dut situer son noble château dans l'Enfer. Mario Rossi voit dans ce conflit entre le dogme et la poésie, entre l'intuition paradisiaque et la terrible condamnation, l'intime discordance de ce chant et l'origine de certaines contradictions. Il est dit à un endroit que les soupirs font trembler l'air éternel; à un autre, que les visages ne reflètent ni joie ni tristesse. Le poète n'avait pas encore atteint la plénitude de son don de visionnaire. Nous devons à cette relative maladresse la singulière horreur de ce château et de ses habitants, ou prisonniers. Ce lieu tranquille a quelque chose d'un triste musée de figurines de cire : César est en armes et inactif, Lavinia éternellement assise près de son père, on a la certitude que demain sera comme aujourd'hui, semblable à hier qui fut semblable à tous les autres jours. Plus loin, dans un passage du *Purgatoire,* Dante ajoute que les ombres des poètes, qui ont l'interdiction d'écrire puisqu'elles sont

9. « dans un lieu ouvert, lumineux et élevé » (*Enfer,* IV, 116).

en Enfer, tentent de distraire leur éternité par des discussions littéraires [10].

Une fois déterminées les raisons techniques, c'est-à-dire les raisons d'ordre verbal qui rendent le château effroyable, reste à déterminer les raisons intimes. Un théologien dirait que l'absence de Dieu suffit à faire de ce château un lieu effroyable. Peut-être admettrait-il une certaine affinité avec ce tercet où Dante proclame la vanité des gloires terrestres :

Non è il mondan romore altro ch'un fiato
di vento, ch'or vien quinci e or vien quindi
e muta nome perché muta lato [11].

J'insinuerais, quant à moi, une autre raison, d'ordre personnel. À cet endroit de la *Comédie*, Homère, Horace, Ovide et Lucain sont des projections ou des figurations de Dante qui savait qu'il n'était pas inférieur en fait ou potentiellement à ces grandes ombres. Elles sont des exemples de ce qu'était déjà Dante à ses propres

10. Dante fut, dans les premiers chants de *La Divine Comédie*, ce que Gioberti a écrit qu'il était tout au long du poème : « un peu plus qu'un simple témoin de la fable qu'il inventait » (*Primato Civile e morale degli italiani*, 1840).
11. « La rumeur du monde n'est qu'un souffle
de vent, qu'il vienne d'ici ou de là
et qui change de nom en changeant de direction »
(*Purgatoire*, XI, 100-102).

yeux et de ce qu'il allait être de façon prévisible
pour les autres : un éminent poète. Ce sont de
grandes ombres vénérées qui reçoivent Dante
dans leur assemblée :

> *ch'e' si mi fecer della loro schiera*
> *si ch'io fui sesto tra cotanto senno* [12].

Ce sont, chez Dante, des formes de son rêve
naissant, à peine détachées de celui qui les rêve.
Elles parlent interminablement de littérature
(que pourraient-elles faire d'autre?). Elles ont lu
L'Iliade et *La Pharsale* ou elles écrivent *La Divine
Comédie*; elles excellent dans l'exercice de leur
art et, pourtant, elles sont en Enfer car Béatrice
les oublie.

12.　« et ainsi ils m'accueillirent dans leur assemblée
　　et je fus le sixième parmi de si grands sages »
　　　　　　　　　　　　　　　　(Enfer, IV, 101-102).

LA RENCONTRE EN RÊVE

Ayant triomphé des cercles de l'Enfer et des terrasses escarpées du Purgatoire, Dante, parvenu au Paradis terrestre, voit enfin Béatrice; Ozanam pense que cette scène (certes l'un des sommets les plus surprenants que la littérature ait atteints) est le noyau primitif de *La Divine Comédie*. Je me propose de raconter cette scène, de résumer ce qu'en disent les commentateurs et d'avancer une remarque, peut-être nouvelle, de caractère psychologique.

Le matin du 13 avril de l'an 1300, l'avant-dernier jour de son voyage, Dante, ses travaux accomplis, entre au Paradis terrestre qui couronne la cime du Purgatoire. Il a vu le feu temporel et le feu éternel, il a traversé un mur de feu, il a son libre arbitre et sa volonté est droite. Virgile a posé sur lui la mitre et la couronne (« per ch'io te sovra te corono e mitrio [1] »). Par

1. « ce pourquoi ici et sur toi je pose la couronne et la mitre » (*Purgatoire*, XXVII, 142).

les sentiers de l'antique jardin il arrive à une rivière plus pure qu'aucune autre, bien que les arbres empêchent la lune et le soleil de l'éclairer. Une musique traverse l'air et une procession mystérieuse avance sur l'autre rive. Vingt-quatre vieillards vêtus de blanc et quatre animaux ayant chacun six ailes constellées d'yeux ouverts, précèdent un char triomphal tiré par un griffon; à sa droite dansent trois femmes, dont l'une est si rouge que dans un feu on la verrait à peine; à sa gauche, dansent quatre femmes vêtues de pourpre, dont l'une a trois yeux. Le char s'arrête et une femme voilée apparaît; son vêtement a la couleur de la flamme vive. Non par ce qu'il voit mais par le saisissement de son esprit et le frisson de son sang, Dante comprend que c'est Béatrice. Au seuil de la Gloire il ressent en lui l'amour qui si souvent l'a transpercé à Florence. Il cherche le soutien de Virgile, comme un enfant effrayé, mais Virgile n'est plus à ses côtés.

> *Ma Virgilio n'avea lasciati scemi*
> *di sè, Virgilio dolcissimo patre,*
> *Virgilio a cui per mia salute die'mi* [2].

2. « Mais Virgile m'avait abandonné
      là, veuf de lui, Virgile très doux père,
      Virgile à qui je m'étais confié pour me sauver »
                                         (*Purgatoire*, XXX, 49-51).

Béatrice l'appelle par son nom, impérieuse-
ment. Elle lui dit qu'il ne doit pas pleurer la
disparition de Virgile mais bien ses propres
fautes. Elle lui demande avec ironie comment
il a consenti à fouler un endroit où l'homme
est heureux. L'air s'est peuplé d'anges; Béatrice, implacable, leur énumère les égarements
de Dante. Elle dit qu'elle a essayé en vain de
le rejoindre dans ses rêves mais qu'il était tombé
si bas qu'il n'y eut pas d'autre moyen pour le
sauver que de lui montrer le sort des damnés.
Dante baisse les yeux en rougissant, il balbutie
et il pleure. Les êtres fabuleux écoutent; Béatrice l'oblige à une confession publique... Telle
est, en mauvaise prose, la triste scène de la
première rencontre avec Béatrice au Paradis.
Theophil Spoerri fait cette curieuse remarque
(*Einführung in die Göttliche Komödie*, Zurich,
1946) : « Sans doute Dante avait-il imaginé en
lui-même cette rencontre d'une autre façon.
Rien n'indique dans les pages qui précèdent
que l'attendait là la plus grande humiliation de
sa vie. »

Les commentateurs déchiffrent la scène personnage par personnage. Les vingt-quatre vieillards qui précèdent l'Apocalypse (4,4) sont les
vingt-quatre livres de l'Ancien Testament, selon
le *Prologus Galeatus* de saint Jérôme. Les animaux à six ailes sont les évangélistes (Tomma-

seo) ou les Évangiles (Lombardi). Les six ailes sont les six lois (Pietro di Dante) ou la propagation de la foi dans les six directions de l'espace (Francesco da Buti). Le char est l'Église universelle; les deux roues sont les deux Testaments (Buti) ou la vie active et la vie contemplative (Benvenuto da Imola), ou saint Dominique et saint François (*Paradis,* XII, 106-111), ou la Justice et la Piété (Luigi Pietrobono). Le griffon – lion et aigle – c'est le Christ, par l'union hypostatique du Verbe et de la nature humaine; Didron soutient que c'est le pape « qui comme pontife ou aigle s'élève jusqu'au trône de Dieu pour recevoir ses ordres et comme lion ou roi marche sur la terre avec force et vigueur ». Les femmes qui dansent à droite sont les vertus théologales; celles qui dansent à gauche, les vertus cardinales. La femme dotée de trois yeux est la Prudence, qui voit le passé, le présent et l'avenir. Béatrice apparaît et Virgile disparaît car Virgile est la raison et Béatrice la foi. Selon Vitali, c'est aussi parce qu'à la culture classique a succédé la culture chrétienne.

Les interprétations que j'ai énumérées méritent certes d'être prises en considération. D'un point de vue logique (non poétique) elles justifient de façon assez plausible les détails incertains. Carlo Steiner, après avoir soutenu certaines de ces interprétations, écrit : « Une

femme avec trois yeux est un monstre mais le
Poète ici ne se soumet pas au frein de l'art car
il lui importe beaucoup plus d'exprimer les
moralités qui lui sont chères. Preuve évidente
que dans l'âme de ce très grand artiste ce n'est
pas l'art qui occupe la première place mais son
amour du Bien. » Avec moins de ferveur, Vitali
confirme ce jugement : « Le désir ardent de créer
des allégories amène Dante à des inventions
d'une beauté contestable. »

Deux faits me semblent indiscutables. Dante
voulait que cette procession soit belle (« Non che
Roma di carro cosi bello, rallegrasse Affri-
cano [3] »); la procession est d'une laideur compli-
quée. Un griffon attelé à un carrosse, des animaux aux ailes ornées d'yeux ouverts, une
femme verte, une autre cramoisie, une autre
encore dont le visage comporte trois yeux, un
homme qui marche en dormant semblent moins
venir du Ciel que de la profondeur des cercles
infernaux. Le fait qu'une de ces figures soit issue
des livres des prophètes (« ma leggi Ezechiel che
li dipigne [4] ») et que d'autres viennent de la
Révélation de saint Jean ne les rend pas pour
autant moins horribles. Ma critique n'est pas un

---

3. « Ni Rome d'un char aussi beau n'a jamais fêté l'Africain »
(*Purgatoire*, XXIX, 115).
    4. « mais lis Ézéchiel qui les dépeint » (*Purgatoire*, XXIX, 100).

anachronisme; les autres scènes paradisiaques excluent le monstrueux [5].

Tous les commentateurs ont souligné la sévérité de Béatrice; quelques-uns la laideur de certains emblèmes; ces deux anomalies ont, à mon sens, une même origine. Ce n'est, bien entendu, qu'une hypothèse que je vais exposer en quelques mots.

Être amoureux c'est se créer une religion dont le dieu est faillible. Que Dante ait voué à Béatrice un culte idolâtrique c'est une vérité indéniable; qu'un jour elle se soit moquée de lui et qu'un autre jour elle l'ait éconduit sont des faits que relate la *Vita Nuova*. Certains prétendent que ces faits sont l'image d'autres faits; s'il en était ainsi, cela renforcerait encore notre certitude qu'il s'agit d'un amour malheureux et superstitieux. Béatrice étant morte et perdue à jamais, Dante a voulu imaginer qu'il la rencontrait, pour atténuer sa tristesse; je suis persuadé qu'il a édifié la triple architecture de son poème pour y intercaler cette rencontre. Il lui est arrivé alors ce qui arrive dans les rêves : la rencontre

5. J'avais déjà écrit ces lignes quand j'ai lu dans les commentaires de Francesco Torraca que dans un certain bestiaire italien le griffon est un symbole du démon (« Per lo Grifone entendo lo nemico »). Je ne sais s'il est permis d'ajouter que dans le Codex d'Exeter, la panthère, animal à la voix mélodieuse et à l'haleine douce, est un symbole du Rédempteur.

est assombrie par de tristes obstacles. Tel fut le cas de Dante. Rejeté pour toujours par Béatrice, il a rêvé d'elle, mais il l'a rêvée très sévère, inaccessible, il l'a rêvée sur un char tiré par un lion qui était un oiseau et qui devenait tout oiseau ou tout lion selon le reflet qu'en donnaient les yeux de Béatrice (*Purgatoire*, XXXI, 121). De tels faits peuvent être le préambule d'un cauchemar : celui-ci se précise et se développe dans le chant suivant. Béatrice disparaît; un aigle, une renarde et un dragon attaquent le char; les roues et le timon se couvrent de plumes; le char projette alors sept têtes (« Trasformato cosi'l dificio santo / mise fuor teste [6]... »); un géant et une fille publique usurpent la place de Béatrice [7].

Béatrice exista infiniment pour Dante. Celui-ci très peu, sinon pas du tout, pour Béatrice; nous avons tous tendance par pitié, par vénération, à oublier cette malheureuse discordance, inoubliable pour Dante. Je lis et relis les péripéties de sa rencontre fictive et je pense aux

---

6. « Ainsi changé l'édifice sacré
     fit jaillir des têtes... » (*Purgatoire*, XXXII, 142).

7. On m'objectera que de telles laideurs sont l'envers de la précédente « Beauté ». C'est entendu, mais elles sont significatives... De façon allégorique, l'agression de l'aigle représente les premières persécutions; la renarde, l'hérésie, le dragon, Satan, Mahomet ou l'Antéchrist; les sept têtes, les péchés capitaux (Benvenuto da Imola) ou les sacrements (Buti); le géant, Philippe IV le Bel, roi de France.

deux amants que l'Alighieri rêva dans l'ouragan du deuxième cercle et qui sont l'emblème obscur, même à son insu ou contre sa volonté, de ce bonheur qu'il n'a pu atteindre. Je pense à Francesca et à Paolo, unis pour toujours dans leur Enfer. (« Questi, che mai da me non fia diviso... ») C'est avec un terrible sentiment d'amour, avec anxiété, avec admiration, avec envie que Dante a dû forger ce vers.

LE DERNIER SOURIRE
DE BÉATRICE

Je me propose de commenter ici les vers les plus pathétiques que nous ait jamais donnés la littérature. On les trouve au chant XXXI du *Paradis* et, bien qu'ils soient célèbres, personne, me semble-t-il, n'a discerné leur charge de douleur, personne ne les a écoutés jusqu'au bout. Il est bien vrai que la substance tragique qu'ils renferment appartient moins à l'œuvre qu'à l'auteur de l'œuvre, moins au Dante protagoniste qu'au Dante rédacteur ou inventeur.

Voici la situation : Au sommet de la montagne du Purgatoire, Dante perd Virgile. Guidé par Béatrice, dont la beauté augmente à chaque nouveau ciel atteint, il traverse l'une après l'autre les sphères concentriques jusqu'à atteindre celle qui encercle toutes les autres, qui est celle du Premier Mobile. Aux pieds de celle-ci brillent les étoiles fixes ; au-dessus d'elles, il y a l'empyrée qui est un ciel non plus matériel mais éternel, fait seulement de lumière. Ils montent à l'empyrée; dans cette région infinie, ce qui est éloigné est aussi net (comme sur les toiles préraphaélites) que ce qui se trouve au premier plan. Dante voit là-haut un grand fleuve de lumière, il voit des troupes d'anges, il voit la multiple rose paradisiaque que forment, disposées en amphithéâtre, les âmes des justes. Soudain, il constate que Béatrice l'a quitté. Il la voit au-dessus de lui, dans l'un des cercles de la Rose. Comme un homme qui, perdu en pleine mer, lèverait les yeux vers l'endroit d'où vient le tonnerre, ainsi il la vénère et il l'implore. Il la remercie de sa pitié bienfaisante et il lui recommande son âme. Le texte dit alors :

> *Cosi orai; e quella, si lontana*
> *come parea, sorrise e riguardommi;*
> *poi si torno all'etterna fontana* [1].

Comment interpréter ce qui précède? Les spécialistes de l'allégorie nous disent : La raison (Virgile) est un instrument pour atteindre la foi; la foi (Béatrice), un instrument pour atteindre le divin; l'une et l'autre, leur but atteint, disparaissent. L'explication, comme l'aura remarqué

1. « Ainsi priai-je; et elle, si lointaine
    qu'elle parût, sourit et me regarda de nouveau;
    puis elle se tourna vers l'éternelle fontaine »
    (*Paradis*, XXXI, 91-93).

le lecteur, n'est pas moins irréprochable que froide; un schéma aussi sec n'aurait jamais pu susciter de tels vers.

Les commentaires que j'ai lus ne voient dans le sourire de Béatrice qu'un symbole d'acquiescement. « Dernier regard, dernier sourire mais promesse certaine », note Francesco Torraca. « Elle sourit pour dire à Dante que sa prière a été exaucée; elle le regarde pour lui prouver une fois de plus l'amour qu'elle lui porte », confirme Luigi Pietrobono. Ce jugement (qui est aussi celui de Casini) me paraît très juste mais il est évident qu'il effleure à peine la scène.

Ozanam (*Dante et la philosophie catholique*, 1895) pense que l'apothéose de Béatrice fut le thème initial de *La Divine Comédie*; Guido Vitali se demande si Dante, en créant son Paradis, n'a pas été poussé avant tout par le désir de fonder un royaume pour sa Dame. Un passage célèbre de la *Vita Nuova* (« Je souhaite dire d'elle ce que d'aucune femme on n'a dit ») justifie ou permet cette hypothèse. Personnellement, j'irais plus loin. Je soupçonne Dante d'avoir édifié le plus beau livre de la littérature pour y introduire quelques rencontres avec l'irrécupérable Béatrice. Ou mieux, les cercles du châtiment, le Purgatoire austral, les neuf cercles concentriques, Francesca, la sirène, le griffon et Ber-

trand de Born sont des intercalations; un sourire et une voix, qu'il sait perdus à jamais, sont
l'élément fondamental. Au début de la *Vita
Nuova,* on lit qu'il énuméra dans une lettre
soixante noms de femmes pour glisser parmi
eux, secret, le nom de Béatrice. Je pense qu'il
a répété, dans *La Divine Comédie,* ce jeu mélan-
colique.

Qu'un être malheureux imagine le bonheur,
cela n'a rien de singulier; nous tous, chaque
jour, en faisons autant. Dante le fait comme nous
mais quelque chose, toujours, nous laisse entre-
voir l'horreur que cachent ces fictions du bonheur. Dans un poème de Chesterton, il est question de *nightmares of delight,* de cauchemars de
bonheur; cet oxymoron définit plus ou moins le
tercet du *Paradis* que j'ai cité. Mais le point fort,
dans le vers de Chesterton, est dans le mot *delight*;
pour le tercet de Dante, le mot important serait
plutôt *nightmare.*

Reconsidérons la scène. Dante, ayant Béatrice
près de lui, est dans l'empyrée. Au-dessus d'eux
s'arrondit en voûte, incommensurable, la Rose
des justes. La Rose est lointaine mais les formes
qui la peuplent sont nettes. Cette contradiction,
bien que justifiée par le poète (*Paradis,* XXX,
118), constitue peut-être le premier indice d'une
discordance intime. Béatrice, soudain, n'est plus
à ses côtés. Un vieillard a pris sa place (« credea

veder Beatrice, e vidi un sene ² »). Dante parvient
à peine à demander où est Béatrice. *Ov'è ella ³?*
crie-t-il. Le vieillard lui montre un des cercles de
l'immense Rose. Là, auréolée de gloire, est Béatrice ; Béatrice dont le regard le remplissait
chaque fois d'une intolérable béatitude, Béatrice
qui s'habillait de rouge, Béatrice à qui il pensait
tant qu'il s'était étonné de constater que des pèlerins, qu'il avait vus un matin à Florence, n'avaient
jamais entendu parler d'elle, Béatrice qui un jour
n'avait pas répondu à son salut, Béatrice qui était
morte à vingt-quatre ans, Béatrice de Folco Portinari, qui s'était mariée avec Bardi. Dante
l'aperçoit, dans les hauteurs ; le clair firmament
n'est pas plus éloigné des plus grandes profondeurs de la mer que Béatrice n'est éloignée de
lui. Dante la prie comme on prie Dieu mais aussi
comme on prie une femme désirée :

> *O donna in cui la mia speranza vige,*
> *e che soffristi per la mia salute*
> *in inferno lasciar le tue vestige* ⁴...

---

2. « je pensais voir Béatrice et je vis un vieillard » (*Paradis*,
XXXI, 59).

3. « Où est-elle ? » (*Paradis*, XXXI, 64).

4.   « Oh! femme en qui j'ai mis mon espérance,
         toi qui souffris pour mon salut
         de laisser en enfer la trace de tes pas... »
                                        (*Paradis*, XXXI, 79-81).

Béatrice, alors, le regarde un instant et sourit, pour ensuite se tourner vers l'éternelle fontaine de lumière.

Francesco De Sanctis (*Storia della letteratura italiana*, VII) comprend ainsi ce passage : « Quand Béatrice s'éloigne, Dante ne laisse pas échapper une plainte ; tout résidu terrestre a été brûlé en lui et détruit. » C'est exact, si nous considérons le propos du poète ; c'est faux si nous considérons ses sentiments.

Rappelons un fait incontestable, un modeste détail : la scène a été *imaginée* par Dante. Pour nous autres, elle est très réelle ; pour lui, elle l'était moins. (La réalité, pour lui, c'était qu'en premier lieu la vie, puis la mort lui avaient arraché Béatrice.) À jamais hors de sa présence, seul et peut-être humilié, il a imaginé la scène pour s'imaginer qu'il était avec elle. Malheureusement pour lui et heureusement pour les siècles qui allaient lire son poème, la conscience que la rencontre était imaginaire a déformé sa vision. D'où les circonstances atroces, d'autant plus infernales, certes, qu'elles ont lieu dans l'empyrée : la disparition de Béatrice, le vieillard qui prend sa place, la brusque élévation de Béatrice jusqu'à la Rose, la fugacité de son sourire et de son regard, son visage qui se détourne à jamais [5].

5. La *Damoiselle élue* de Rossetti, qui avait traduit la *Vita Nuova*, est elle aussi malheureuse au Paradis.

L'horreur transparaît dans les mots : *come parea* se réfère à *lontana* mais contamine *sorrise* et Longfellow a pu traduire ainsi dans sa version de 1867 :

Thus I implored; and she, so far away,
Smiled as it seemed, and looked once more at me...

Eterna semble aussi contaminer *si torno*.

LE SIMURGH ET L'AIGLE

Sur le plan littéraire, que peut apporter la notion d'un être composé d'autres êtres, par exemple, d'un oiseau fait d'oiseaux [1]? Le problème ainsi posé ne semble avoir que des solutions triviales quand elles ne sont pas franchement désagréables. On pourrait croire ce problème résolu par le *monstrum horrendum ingens,* doté d'un grand nombre de plumes, d'yeux, de langues et d'oreilles personnifiant la Renommée (ou plutôt le Scandale ou la Rumeur) au livre IV de *L'Énéide,* ou par cet étrange roi fait de plusieurs hommes et qui remplit tout le frontispice du *Léviathan,* armé de son épée et d'un sceptre. Francis Bacon (*Essays,* 1625) a célébré la première de ces images; Chaucer et Shakespeare imitèrent cette image; personne aujourd'hui ne la jugera très

1. On peut lire pareillement, dans la *Monadologie* (1714) de Leibniz, que l'univers est fait d'univers infimes qui à leur tour contiennent l'univers, et ainsi à l'infini.

supérieure à celle du « fauve Achéron » qui, selon la cinquantaine et plus de manuscrits de la *Visio Tundali,* retient les réprouvés dans la courbe de son flanc, où ils sont tourmentés par des chiens, des ours, des lions, des loups et des vipères.

La notion abstraite d'un être composé d'autres êtres ne semble rien augurer de bon ; cependant, si incroyable que cela paraisse, à cette idée correspond une des figures les plus mémorables de la littérature occidentale ainsi qu'une autre venue de la littérature orientale. Décrire ces deux fictions prodigieuses est le but de cette note. L'une fut conçue en Italie et l'autre à Nishapur.

On trouve la première au chant XVIII du *Paradis.* Dante, pendant son voyage par les cieux concentriques, remarque une plus grande félicité dans les yeux de Béatrice, un plus grand rayonnement de sa beauté et il comprend qu'ils sont montés du ciel rouge de Mars au ciel de Jupiter. Dans la vaste ampleur de cette sphère où la lumière est blanche, volent et chantent des créatures célestes qui successivement forment les lettres de la sentence *Diligite justicia* puis la tête d'un aigle qui n'est certes pas copiée sur un modèle terrestre mais vient d'une fabrication directe de l'Esprit-Saint. Puis l'Aigle entier resplendit ; il est fait de milliers de rois qui ont été des justes ; il parle d'une seule voix, symbole

114

manifeste de sa souveraineté et il dit *je* au lieu de *nous* (*Paradis*, XIX, 11). Un vieux problème tourmentait la conscience de Dante : N'était-ce pas injuste que Dieu condamnât pour manque de foi un homme qui avait mené une vie exemplaire, qui était né au bord de l'Indus et qui ne pouvait rien savoir de Jésus? L'Aigle répond avec l'obscurité qui convient aux révélations divines; il réprouve la hardiesse de l'interrogation, il répète que la foi dans le Rédempteur est indispensable et il suggère que Dieu a pu inspirer cette foi à certains païens vertueux. Il affirme que parmi les bienheureux se trouvent l'empereur Trajan et Rhipée, l'un antérieur et l'autre postérieur à la Croix [2]. (Splendide au XIV⁰ siècle, l'apparition de l'Aigle est peut-être moins efficace au XX⁰ où les aigles lumineux et les grandes lettres de feu sont destinés à la propagande commerciale. Cf. Chesterton, *What I saw in America*, 1922.)

Que quelqu'un soit parvenu à imaginer une figure qui surpasse les plus grandes de *La Divine*

2. Pompeo Venturi désapprouve le choix de Rhipée, l'homme qui, jusqu'à cette apothéose, n'existait que dans deux vers de *L'Énéide* (II, 339, 426). Virgile déclare qu'il est le plus juste des Troyens et il ajoute à l'annonce de sa fin l'elipse résignée : *Dies aliter visum* (Les dieux en jugèrent autrement). On ne trouve dans toute la littérature aucune autre trace de lui. Dante l'a peut-être choisi comme symbole, en vertu même de son imprécision. Cf. les commentaires de Casini (1921) et de Guido Vitali (1943).

Comédie paraît, non sans raison, incroyable; le fait, cependant, s'est produit. Un siècle avant que Dante ne conçoive l'emblème de l'Aigle, Farid al-Din Attar, un Persan de la secte des soufis, avait imaginé l'étrange Simurgh (Trente Oiseaux) qui implicitement le corrige et l'inclut. Farid al-Din Attar naquit à Nishapur [3], pays des turquoises et des épées. Attar veut dire en persan celui qui fait le trafic des drogues. Dans les *Mémoires des poètes,* on lit que tel était son métier. Un après-midi, un derviche entra dans sa droguerie, il regarda les nombreux pots et flacons et se mit à pleurer. Attar, inquiet et surpris, le pria de s'en aller. Le derviche lui répondit : « Il ne m'en coûte rien de partir, je n'emporte rien avec moi. Toi, en revanche, il t'en coûtera de dire adieu aux trésors que je vois ici. » Le cœur d'Attar devint froid comme le camphre. Le derviche s'en alla mais le lendemain matin, Attar abandonna sa boutique et les affaires de ce monde.

Il fit le pèlerinage de La Mecque, traversa l'Égypte, la Syrie, le Turkestan et le nord de l'Hindoustan; à son retour, il se livra avec ferveur à la contemplation de Dieu et à la composition littéraire. On dit qu'il a laissé vingt mille

3. Katibi, auteur de *La Confluence des deux mers,* déclare : « Je suis du jardin de Nishapur, comme Attar, mais moi je suis l'épine de Nishapur et lui il en était la rose. »

distiques; ses œuvres ont pour titres : *Livre du rossignol, Livre de l'adversité, Livre du conseil, Livre des mystères, Livre de la connaissance divine, Mémoires des saints, Le Roi et la Rose, Énoncé des merveilles* et la singulière *Conférence des oiseaux (Mantiq al-Tayr)*. Dans les dernières années de sa vie – il vécut, dit-on, cent dix ans – il renonça à tous les plaisirs de ce monde, y compris la versification. Il fut tué par les soldats de Tule, fils de Gengis Khan. La vaste image dont j'ai parlé est la base du *Mantiq al-Tayr*. Voici ce que raconte ce poème :

Simurgh, le lointain roi des oiseaux, laisse tomber une plume magnifique au centre de la Chine; les oiseaux, lassés de leur longue anarchie, décident d'aller chercher ce roi. Ils savent que son nom veut dire trente oiseaux; ils savent que son palais est dans le Kaf, la montagne circulaire qui entoure la Terre.

Ils se lancent dans cette aventure presque infinie; ils franchissent sept vallées ou mers; le nom de l'avant-dernière est Vertige; la dernière s'appelle Anéantissement. Beaucoup de pèlerins désertent; d'autres périssent. Trente d'entre eux, purifiés par leurs épreuves, se posent sur la montagne de Simurgh. Enfin ils la contemplent : ils s'aperçoivent qu'ils sont le Simurgh et que le Simurgh est chacun d'eux et eux tous. Les trente oiseaux sont dans le Simurgh et le Simurgh est en chacun d'eux [4]. (Plotin, lui aussi – *Ennéades*, V, 8.4 – parle d'une extension paradisiaque du principe d'identité : *Tout, dans le ciel intelligible, est dans tout. N'importe quelle chose est toutes les choses. Le soleil est toutes les étoiles, chaque étoile est toutes les étoiles, et chaque étoile est toutes les étoiles et le soleil.*)

La disparité entre l'Aigle et le Simurgh n'est pas moins évidente que sa ressemblance. L'Aigle est seulement invraisemblable; le Simurgh est impossible. Les individus qui composent l'Aigle ne se perdent pas en lui (David joue le rôle de pupille de l'œil, Trajan, Ézéchias et Constantin, de sourcils) : les oiseaux qui regardent le Simurgh sont aussi le Simurgh. L'Aigle est un symbole momentané, comme auparavant l'avaient été les lettres de feu, et ceux qui le forment ne cessent pour autant d'être ce qu'ils sont; le Simurgh est d'une ubiquité inextricable. Derrière l'Aigle il y a le Dieu personnel d'Israël et de Rome; derrière le magique Simurgh il y a le panthéisme.

Une dernière remarque. Dans la parabole du Simurgh, la force inventive est frappante; moins

4. Silvina Ocampo (*Espacios métricos,* 12) a mis ainsi en vers l'épisode :

« Dieu était cet oiseau tel un miroir immense ;
il les contenait tous, n'étant pas simple reflet.

Chacun retrouva dans ses plumes les siennes,
dans ses yeux des yeux à mémoires de plumes. »

emphatique mais non moins réelle est son économie ou sa rigueur. Les pèlerins cherchent à atteindre un but ignoré. Ce but, que nous ne connaîtrons qu'à la fin, doit nécessairement nous émerveiller et ne pas être ou sembler un ajout. L'auteur tourne la difficulté avec une élégance classique; adroitement, les chercheurs sont ce qu'ils cherchent. De même, David est l'occulte protagoniste de l'histoire que lui raconte Nathan (2, Samuel, 12); de même, De Quincey a avancé l'hypothèse que l'homme Œdipe, et non pas l'homme en général, était la véritable solution de l'énigme du Sphinx thébain.

DU MÊME AUTEUR

Aux Éditions Gallimard

FICTIONS

LABYRINTHES

ENQUÊTES

L'AUTEUR ET AUTRES TEXTES

DISCUSSION

L'ALEPH

ŒUVRE POÉTIQUE

LE RAPPORT DE BRODIE

L'OR DES TIGRES

LE LIVRE DE SABLE

LIVRE DE PRÉFACES *suivi d'*ESSAI D'AUTOBIOGRAPHIE

LA ROSE PROFONDE *suivi de* LA MONNAIE DE FER *et d'*HISTOIRE DE LA NUIT

CONFÉRENCES

NEUF ESSAIS SUR DANTE

LES CONJURÉS *précédé de* LE CHIFFRE

ENTRETIENS SUR LA POÉSIE ET LA LITTÉRATURE *suivi de* «Quatre essais sur Jorge Luis Borges» par un collectif d'auteurs

ŒUVRES COMPLÈTES, I

ŒUVRES COMPLÈTES, II

L'ART DE POÉSIE

POÈMES D'AMOUR

En collaboration

CONVERSATIONS AVEC JORGE LUIS BORGES, avec Richard Burgin

ENTRETIENS AVEC JORGE LUIS BORGES, avec Georges Charbonnier

DANS LA MÊME COLLECTION

Reproduit et achevé d'imprimer
par Evidence au Plessis-Trévise,
le 3 mars 2014.
Dépôt légal : mars 2014.
1er dépôt légal : février 1987.
Numéro d'imprimeur : 4179.

ISBN 978-2-07-070908-3 / Imprimé en France

267001